GRAND CANYON
NATIONALPARK

DISTRIBUTED BY:

SMITH-SOUTHWESTERN, INC.

1850 NORTH ROSEMONT
MESA, AZ 85205
800-783-3909
WWW.SMITH-SOUTHWESTERN.COM

ISBN 1-56274-782-7

Projekt und Konzeption: *Casa Editrice Bonechi*
Verlagsmanagement: *Monica Bonechi*
Bildrecherchen: *Monica Bonechi*
Grafischer Entwurf, Umbruch und Umschlag: *Sonia Gottardo*
Video-Umbruch: *Alessandro Calonego*
Redaktion: *Patrizia Fabbri*
Zeichnungen und Karten: *Studio Grafico Daniela Mariani – Pistoia*
Text: *Hugh Crandall*
Übersetzung: *Andreas Hein*

Druck in Italien: *Centro Stampa Editoriale Bonechi*

Die Fotos aus dem Verlagsarchiv der *Casa Editrice Bonechi*
wurden von *Andrea Pistolesi* aufgenommen.
Fotos auf den Seiten 1, 15 unten, 54-55, 56-57:
Andrea Innocenti.
Fotos auf den Seiten 6, 7, 9: *Grand Canyon National Park.*
Fotos auf den Seiten, 4, 5, 10-11, 14, 15 oben, 16, 29, 30-31,
40-41, 60-61: *Mike Buchheit.*

Der Verleger bittet um Verständnis für nicht ausgewiesene
Fotos und steht nach entsprechenden Hinweisen für die
nachträgliche Anerkennung des Urhebers zur Verfügung.

Internet: www.bonechi.com

des Grand Canyon

Die Geschichte des Grand Canyon beginnt mit seiner Frühgeschichte, die an den archäologischen Resten der amerikanischen Ureinwohner ablesbar ist. 1933 entdeckte man in einer Kalksteinhöhle der Schlucht Statuetten aus Weidengeflecht. Durch Karboniumdatierung wurde später festgestellt, dass die Figürchen ein Alter von 4.000 Jahren hatten. Die nächsten eindeutigen Spuren stammen von Anasazi- oder Pueblo-Indianern, die etwa 2.500 Jahre später eintrafen. In den Jahren davor dürfte der Canyon wenigstens hier und dort besiedelt gewesen sein, aber dafür gibt es bisher keine konkreten Beweise.

Die neuen Ankömmlinge zogen wahrscheinlich von der Wüste im Südosten in das Flusstal. Sie gehörten einer wesentlich höher entwickelten Zivilisation an, als die früheren Bewohner, sie flochten bereits Körbe, brannten Tongefäße und kannten Pfeil und Bogen. Obwohl sie noch weitgehend Jäger und Sammler waren, bauten sie bereits Getreide an. Etwas später vereinigten sich die Anasazi mit den Cohonina, einem aus dem Süden eingewanderten Stamm, der den geringfügigen Zivilisationsrückstand gegenüber den neuen Nachbarn rasch aufholte.

Aus bisher noch ungeklärten Gründen endete um das Jahr 1150 n.Chr. jedwede Besiedlung im Canyon und seiner Umgebung, die Region blieb 150 Jahre lang unbewohnt. Vielleicht hatten einige besonders trockene Jahre die Menschen dazu gezwungen, in freundlichere Landstriche zu ziehen. Man weiß, dass die Anasazi sich weiter östlich an wasserreicheren Flüssen niederließen.

Zu etwa demselben Zeitpunkt verschwanden die Cohonina, ohne weitere Spuren zu hinterlassen, wie archäologische Erhebungen besagen.

Um 1300 wanderte der Cerbat-Stamm aus der Wüste des unteren Colorado in die Hochplateaus ein, die früher von den Anasazi und Cohonina und davor von den Herstellern der Weidenfigürchen besiedelt waren. Sie nannten sich Pai und ihre Nachfahren sind die Hualapai und Havasupai, die heute neben und innerhalb des Grand Canyon leben. Während die Cerbat den südlichen Rand des Canyon kolonisierten, breiteten sich die Paiute, von Norden kommend, am nördlichen Abbruch aus und führten dann ein sehr ähnliches Leben wie ihre südlichen Nachbarn. Handwerkliche Produkte, die man auf beiden Seiten des Colorado entdeckte, sind der Beweis dafür, dass die Cerbat und die Paiute miteinander verkehrten und Handel trieben, so wie die Anasazi und Hopi weiter östlich.

Die eigentliche Geschichtsschreibung des Grand Canyon beginnt mit Castaneda, dem offiziellen Berichterstatter während der Expedition des spanischen Entdeckers Francisco Coronado. Am Kopf eines großen Gefolges von Soldaten und Indianern war Letzterer vom Aztekenreich kommend nach Norden gezogen. Im Sommer 1540 erreichte er das Pueblo Zuni im heutigen Neu Mexiko. Dort berichtete man ihm von den Hopi im Westen und er sandte einen seiner Offiziere, Pedro de Tovar, als Vorhut dorthin. Tovar besuchte als erster Europäer die Hopi-

Indianer, die ihm von einem großen Fluss im Westen erzählten. Coronado schickte einen anderen Leutnant, Garcia Lopez de Cardenas als Kundschafter aus. Die Hopi geleiteten ihn zwanzig Tage lang nach Westen, bis er als erster Europäer den Grand Canyon sah, wahrscheinlich in der Nähe des heutigen Desert View. Drei Tage lang versuchte er den tief unten gelegenen Fluss zu erreichen, aber schaffte nur ein Drittel des Abstiegs. Er berichtete, dass die Schlucht zwischen drei und vier Meilen (12 bis 16 km) breit sei. Coronado befand sich jedoch auf dringender Goldsuche für den rasch dahinschwindenden Kronschatz der Spanier und die Expedition eilte weiter, ohne genauere Untersuchungen einzuleiten.

Mehr als 200 Jahre später reiste Padre Francisco Garces vom südlichen Arizona zu den Missionen in Kalifornien. Seinen Rückweg lenkte er über Zuni und verbrachte mehrere Tage mit den Walapai und Havasupai im Grand Canyon.

In demselben Jahr 1776 ritten zwei andere Franziskaner, Silvestre Velez de Escalante und Francisco Atanasio Dominguez von Santa Fe nach Norden, denn sie suchten einen direkten Weg nach dem nördlichen Kalifornien. In der Nähe vom Great Salt Lake gaben sie auf und ritten südlich in Richtung Heimat. Bei den Paiute im nördlichen Arizona erfuhren sie, dass es unmöglich sei, den Grand Canyon zu überwinden. Sie ritten daher nach Osten, ohne den Canyon gesehen zu haben und überquerten

den Colorado an einer Furt, die heute vom Wasser des Lake Powell bedeckt ist. Die beiden Padres erreichten dann Santa Fe über einige Hopi-Dörfer.

Es gingen weitere 50 Jahre ins Land, bevor amerikanische Trapper bis in das Grand Canyon-Gebiet vorstießen, sie hießen Kit Carson, Jedediah Smith, Antoine Leroux, Bill Williams und James Ohio Pattie. Doch ihre Berichte waren mager, meistens nicht schriftlich fixiert und oftmals übertrieben. Auch nachdem Mexiko 1848 die Region an die Vereinigten Staaten abgetreten hatte, zogen mehrere offizielle Forschungsexpeditionen dicht am Canyon vorbei, doch keine von ihnen nahm ihn richtig wahr.

Zwischen 1857 und 1858 untersuchte eine Regierungsexpedition unter Leutnant Joseph Ives die Schiffbarkeit des Colorade mit Hilfe eines kleinen Dampfschiffs namens Explorer. 350 Meilen flussaufwärts schlug das Schiff gegen einen Felsen und musste aufgegeben werden. Ives und seine Männer gingen Richtung Osten zu Fuß weiter. Zu der Gruppe zählten auch der deutsche Künstler von Egglofstein und der Geologe Dr. John Newberry, der erste Wissenschaftler, der die von Ives "Big Canyon" genannte Schlucht begutachtete. Sie stießen auch zu den Havasupai vor und mit Hilfe von Hualapai-Führern stiegen einige Mitglieder der Gruppe bei Diamond Creek bis zur Talsohle hinunter.

Zwei weitere, erwähnenswerte Entdeckungsreisen des

Zwei Männer in Tuweep.

Zwei der Boote Powells am Flussufer.

Der erste Personenzug, am 17 September 1901.

Grand Canyon erfolgten wieder auf dem Fluss, aber sie begannen weiter nördlich, Richtung flussabwärts. In den Jahren 1869 und 1871 lenkte Major John Wesley eine Flottille von schmalen Holzbooten erst den Green River und dann den Colorado River hinunter, um das Gebiet kartographisch zu erfassen und seine Geologie und Ökologie zu untersuchen.

Die ständig zunehmenden Exkursionen in ihr Territorium versetzten die Hualapai und die Havasupai in Unruhe, sodass sie schließlich 1866 gegen die US-Armee das Kriegsbeil ausgruben, was 1869 mit ihrer Niederlage endete. Beiden Stämmen wurden 1882 Reservate zugewiesen.

Zu der Zeit, in der den Indianern mit Gewalt die Hoheit über den Grand Canyon entzogen wurde, wetteiferten auch die europäischen Amerikaner um die Kontrolle der großen Schlucht. Der Senator Benjamin Harrison aus Indiana reichte 1882, 1883 und 1886 Gesetzesentwürfe im Senat ein, um den Canyon in einen Nationalpark zu verwandeln. Aber John Hance begann 1883 in der Talsohle mit dem Abbau von Asbest und William Bass ließ sich Schürfrechte für Asbest und Kupfer auf beiden Seiten des Colorado eintragen. Hance und Bass richteten bald Führerdienste für Besucher ein. Noch viele andere Schürfrechte wurden eingetragen und der Canyon erwarb als Wirtschaftspotential an Gewicht. Die politische Wirkung solcher Interessen brachte es mit sich, dass Senator Harrisons Gesetzesentwürfe im Kongress nicht weiterkamen.

Anfang der siebziger Jahre des 19. Jh. startete man eine topographische Kampagne und 1880 vervollständigten die Vereinigten Staaten mit einer geologischen Erhebung die von Major Powell begonnene kartographische Arbeit. Der junge Künstler Thomas Moran, dessen Gemälde bereits die Öffentlichkeit auf das Naturwunder Yellowstone aufmerksam gemacht hatten, begleitete beide Expeditionen und wieder spielten seine Bilder eine wichtige Rolle für die Sensibilisierung zu Gunsten dieser einmaligen Landschaft.

Der hochgeschätzte Geologe E. Dutton, der die zweite Expedition leitete, erkannte in den gewaltigen, übereinander geschichteten Steinformationen, die die Erosion freigelegt hatte, als erster Anklänge an die Tempelarchitektur Indiens und Chinas und an religiöse Symbolik im Allgemeinen. Er kam auf Namen wie Wischnu Tempel, Brahma Tempel, Wotans Thron, Turm zu Babel und Turm des Ra. Am Ende erwiesen sich die Bergbauunternehmungen als unrentabel und die ehemaligen Bergleute fanden im Tourismus Beschäftigung. Am Rand des Canyon entstanden zwei Hotels und von Flagstaff wurde eine öffentliche Postkutschenlinie eingerichtet. Im Jahr 1901 vollendete die Eisenbahngesellschaft von Santa Fe ein Gleis, das von Williams bis zum Canyon-Rand zwischen Yaki Point und Yavapai Point führte. 1905 wurde das El Tovar Hotel fertig und außerdem Hopi House, Babbitt's Store, Kolb Brothers Photographic Studio und Vercamp's Curio Store, die Anfänge des Grand Canyon Village.

Der Nordrand hatte eine anders geartete Entwicklung, mehrere Viehzuchtunternehmungen brachten Rinder- und Schafherden auf das Grasland der Kaibab- und Kanab-Plateaus. Zunächst machten sie Profit, doch durch allzu intensive Nutzung zerstörten sie den Weidegrund. Im letzten Jahrzehnt des 19. Jh. grasten nach einer Schätzung mehr als 100.000 Rinder und 250.000 Schafe auf diesem nicht sehr ergiebigen Landstrich. Schon 1906 endete fast überall der Ranch-Betrieb, denn das einstmals üppige Grasland bestand nur noch aus trostlosen Salbeibüschen.

Durch die Berichte über die Einzigartigkeit der Region und ihre Verletzbarkeit gewann die Naturschutzkampagne wieder an Boden. Als Senator Harrison 1893 Präsident wurde, proklamierte er den Grand Canyon zum Forstgehege. Nachdem Präsident Theodore Roosevelt den Canyon 1903 besucht hatte, verstärkte er den Naturschutz und erklärte das Gebiet 1906 zunächst zu einem Wildreservat und dann, 1908, zu einem National Monument. Der Kongress bestimmte schließlich im Februar 1919 die Institution des Nationalparks. Westlich vom Park erklärte man 1932 einen weiteren Teil des Grand Canyon zum National Monument und 1969 wurde auch der Marbel Canyon zum National Monument. Ein Gesetz von 1975 ermöglichte die Vergrößerung des Parks um diese beiden Schutzgebiete und um weitere Flächen aus öffentlicher Hand. Dasselbe Gesetz ordnete an, dass 34.000 Hektar des Parks an das Havasupai-Reservat anzufügen seien. Heute umfasst der Park ungefähr 493.000 Hektar. Seit der Grand Canyon unter der Schutzverwaltung des National Park Service steht, beschränken sich die von Menschenhand vorgenommenen Veränderungen vor allem auf Einrichtungen, die den Besucherstrom von alljährlich mehr als vier Millionen Besuchern aus der ganzen Welt ermöglichen. Da natürliche Veränderungen nur sehr langsam erfolgen, ist der Grand Canyon immer noch derselbe überwältigende und mysteriöse Ort, den die Menschen seit 4.000 Jahren kennen.

JOHN WESLEY POWELL

Ein gewisser Teil der Forschungsarbeit im Grand Canyon erfolgte schon immer vom Flusslauf aus. Trotz lebensgefährlicher Stromschnellen und reißender Fluten glaubte man um 1900 immer noch, dass der Colorado der einfachste Weg für die Erforschung der großen Schlucht sei. Nach dem Sezessionskrieg wandte sich das nationale Interesse den dünn besiedelten und oftmals noch unbekannten Landstrichen des Westens zu. Ein weißer Fleck auf der Landkarte war unter anderem das ausgedehnte Fluss-System des Colorado mit den beiden Flüssen Green und Grand. Der 34 Jahre alte Lehrer und Major John Wesley Powell ausgezeichnete Kenntnisse in Geologie, Biologie und Paläontologie besaß, war in jener Zeit wahrscheinlich die qualifizierteste Person, um diese Flussexpedition zu leiten. Aus eigenen Mitteln finanzierte er den Bau spezieller Boote und durch seine Bekanntschaft aus der Kriegszeit mit General U. S. Grant gelang es ihm,

einige wenige Stütz- und Versorgungspunkte längs der geplanten Route zu organisieren. Mit drei Booter und einer Besatzung von neun Mann startete Powell am 24. Mai 1869 auf dem Green River in Wyoming. Seine Absicht war, den Greer River hinunterzufahren, bis zu dessen Zusammenfluß mit dem damals Grand River genannten Fluss, der heute als der Oberlauf des Colorado gilt. Dann wollte er den Grand Canyon bis zu den Hügelketten westlich vom Colorado Plateau durchschiffen.

Die Reise erwies sich bald als schwierig. Schon nach zwei Wochen hatten sie ein Boot mit aller Ausrüstung und allen Vorräten verloren und auch die Dreier-Besatzung wäre fast ums Leben gekommen. Dann folgte ein Monat, in dem sie ununterbrochen Stromschnellen zu überwinden hatten. An der Einmündung vom Uinta River konnten sie sich drei Tage ausruhen und zusätzlichen Nachschub fassen, aber ein Mann verließ hier die Expedition.In den nächsten, mühseligen sechs Wochen erhielten weitere drei Mann die Erlaubnis, aus der Expedition auszusteigen und eines der drei übriggebliebenen Boote wurde zurückgelassen. Die gesamte Reise über waren sie gezwungen zu fischen und zu jagen, um sich bei Kräften zu erhalten. Tag für Tag vermaßen Powell und seine Leute die verschiedenen Flüsse, die Höhe der Canyonwände und die Dicke der Gesteinsschichten und trugen alle Daten in die neue Landkarte ein. Außerdem führten sie genau Buch über alle Fossilien, die sie fanden, und über alle Pflanzen und Tiere, die sie antrafen. Als die letzten sechs erschöpften Männer ihre beiden angeschlagenen Boote am 29. August 1869 an der Mündung des Virgin River an Land zogen, war ein Großteil des weißen Flecks auf der Landkarte ausgelöscht. John Wesley Powell wurde für eine zweite Colorado-Expedition (1871-1872) von der Regierung unterstützt und berichtete über beide Reisen in einem sehr erfolgreichen Buch. Er half dabei,die geologische Vermessung der Vereinigten Staaten zu organisieren und wurde zweiter Direktor des Vermessungsamtes. In derselben Zeit organisierte er das Bureau für Amerikanische Ethnographie innerhalb des Smithsonian Institute. Das Bureau berief ihn zu seinem ersten Direktor.Seines schwachen Gesundheitszustandes wegen trat er bereits 1894 in den Ruhestand und 1902 verschied er friedlich in seinem Sommerhaus in Maine.

gigantischen Felsenschlucht

Geologen und diejenigen, die über geologische Ereignisse nachzudenken beginnen, müssen ihre Zeitvorstellungen korrigieren. Die Erde ist keineswegs eine statische Einheit, aber abgesehen von katastrophalen Ereignissen wie Erdbeben und Vulkanausbrüche, erfolgt jede Aktion und Reaktion mit einer unvorstellbaren Langsamkeit. Es hat den Anschein, dass die hauptsächlichen Bewegungen überall auf der Erde aus Anheben und Absinken gegenüber dem Meeresniveau bestehen. Wenn die Erdoberfläche unter dem Wasserspiegel liegt, nimmt sie Sedimente auf, liegt sie darüber, wird sie von Erosion angegriffen. Damit kommen wir zum Grand Canyon. Das Land, das zum Kaibab Plateau am Nordrand des Canyon gehört, und das Coconino Plateau am Südrand sanken und stiegen viele Millionen Jahre lang. Etwa vor 200 Millionen Jahren begann eine Phase des Anstiegs. In den letzten sechs Millionen Jahren hat der Colorado River den Sand, den Schlamm und die Felsen vom Bergland im Norden dazu benutzt, eine Rinne in das aufsteigende Land zu schneiden, und dann schwemmte er diese Schleifmaterialien hinweg, um sie in einem vorgeschichtlichen Meer abzulagern, dort wo heute der Golf von Kalifornien liegt. Während der Fluss sich tiefer und tiefer eingrub, legte er immer ältere Gesteinsschichten frei, die ihrerseits aus der Verdichtung und Erhärtung von Ablagerungen in früheren Meeren entstanden waren. Major Powell sprach von den Gesteinsschichten des Grand Canyon als ''den Seiten aus dem großen Gesteinsbuch''. Wenn dem so ist, so handelt es sich auf jeden Fall um ein sehr gut erhaltenes Buch, wenn man bedenkt, wie alt es ist, wie rau die Erdverschiebungen zuweilen mit ihm umgegangen sind und wie wenige Seiten fehlen. Leider können die meisten von uns dieses Buch nicht entziffern, wir müssen es uns vorlesen lassen wie die Märchenbücher, die uns einst unsere Eltern vorlasen. Um noch eine Weile bei dieser Analogie zu bleiben, hier folgt die Geschichte, die die Wissenschaftler aus diesen steinigen Seiten rekonstruiert haben: Es war einmal, vor vielen vielen Jahren, genauer gesagt vor 2000 Millionen Jahren, dass die Erdoberfläche

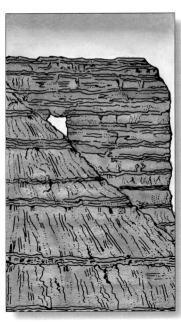

gepresst und verändert, das Schichtmaterial verwandelte sich in metamorphes Gestein, das man heute Wischnu Schiefer nennt und das flüssige Intrusionsgestein erkaltete zu Zoroaster Gneis. In den nächsten 500 Millionen Jahren wurden die Berge abgetragen und das Land verwandelte sich wieder in eine nahezu glatte Ebene, wenig höher als der Meeresspiegel. Diese Ebene wurde dann erneut von Meer überflutet, und zwar für eine so lange Zeit, dass aus den Sedimenten 4.500 m Felsgestein entstehen konnte. Diesen Fels nennen wir heute

in diesem Gebiet aus einer mehr oder weniger ebenen Schicht aus vulkanischem und Sediment-Gestein bestand. In den folgenden 300 Millionen Jahren geschah es, dass ungeheurer Druck die Schicht zu hohen Gebirgen auftürmte. Die vorher horizontalen Lagen wurden fast in die Vertikale verworfen und das Gestein erfuhr Veränderungen durch Hitze und Druck. Geschmolzenes Gestein wurde durch Spalten nach oben

Grand Canyon Supergroup. An dieser Stelle unserer Geschichte begann wieder eine Periode sich auftürmender Gebirge, doch benutzte die Erde dafür eine andere Methode. Statt die Erdkruste zusammenzupressen, bis sie sich auffaltete, wurde sie so stark auseinander gezogen, dass sie in Blöcke zerbarst. Die Blöcke neigten sich dann um 12 bis 15 Grad, auf einer Seite hoben sie sich, während die gegenüberliegende absank,

bis eine Reihe von gegeneinander verworfenen, würfelförmigen Bergen entstand. Natürlich begann sofort deren Erosion, bis alle Erhöhungen abgetragen waren. An diesem Punkt haben wir 800 Millionen Jahre hinter uns gebracht und die Erosion wird noch weitere 400 Millionen Jahre dauern. Damit kommen wir zum Kambrium, der ältesten Formation des Paläozoikums; dieser Teil der Erde lag wieder unter Wasser. In den nächsten 700 bis 800 Millionen Jahren sank dieser Abschnitt der Erdkruste zunächst unter die Meereshöhe, wurde dann wieder emporgehoben, um sich dann wieder abzusenken und wieder anzuheben. Jedes Mal wenn die Erde unter Wasser lag, bildete sich eine Schicht von Sedimentgestein auf dem Meeresgrund. Und in diesem Gestein finden wir die Spuren von all dem, was in jenen alten Gewässern schwamm, aber auch Informationen über die Lebewesen, die am Meeresrand im Schlick oder in den Sanddünen umherliefen oder krabbelten. Geologen können an den Schichten erkennen, mit welcher Geschwindigkeit die Wasserlinie ostwärts wanderte, während das Land versank. Sandstein entsteht aus Ablagerungen im seichten Meer in Strandnähe, Tonschiefer formt sich aus dem Schlick weiter draußen und Kalkstein noch weiter draußen im tiefen Wasser. Außerdem weiß man, dass ein Meter Sandstein in etwa 1.500 Jahren wächst, ein Meter Tonschiefer in 3.000 Jahren und ein Meter Kalkstein in 7.500 Jahren. Direkt über der geneigten Schicht der Grand Canyon Supergroup liegt eine Schicht von 30 bis 90 m Tapeats Sandstein, der sich in der Nähe der Küste des von Westen vordringenden Meeres bildete. Darüber liegen 60 bis 140 m Bright Angel Tonschiefer, der sich ablagerte, während das Land absank und die Küstenlinie weiter ostwärts wanderte. Als nächsthöhere Ablagerung folgen mehrere Schichten Kalkstein, die sich bildeten, als das Land zu seiner größten Tiefe absank und dann wieder anstieg. Der Muav Kalkstein ist bis zu 250 m dick, Temple Butte Kalkstein bis zu 250 m dick und Redwall Kalkstein 120 bis 200 m dick. Vor etwa 330 Millionen Jahren hatte das sich aufrichtende Land das Meer wieder seicht werden lassen und vermischte Formationen von rotem Sandstein und rotem Schieferstein, die so genannte Supai Group, lagerte sich ab. Darüber findet man eine Schicht von hellrotem Schieferstein, der sich Hermit Shale (Eremiten-Schiefer) nennt. Die aus diesen Schichten ausgewaschene rote Farbe fließt über die darunter gelegene Schicht aus grauem Kalkstein, deshalb nennt sich der Kalkstein ''Redwall'' (Rote Mauer). Vor 270 Millionen Jahren etwa kam das Land für eine Weile wieder über das Meeresniveau, und als nächste Schicht entstand der Coconino Sandstein, an dem man das Vorhandensein eines weiten Wüstengebietes mit großen Dünen im heutigen nördlichen Arizona

Exkursionen im Grand Canyon

Der Grand Canyon mit seiner in Jahrtausenden durch Regenfälle und Überschwemmungen modellierten Felslandschaft gilt allgemein als einer der spektakulärsten Naturräume der Vereinigten Staaten, wenn nicht der ganzen Welt. Die unwegsamen Pfade, die sich an den Steilwänden hochwinden, sind von besonderem Reiz für erfahrene Bergwanderer, die mit geeigneter Trekking-Ausrüstung und reichlich Trinkwasser ausgestattet sind. Denn eine Klettertour im Grand Canyon ist zwar ein einmaliges Erlebnis, aber auch ein anstrengendes Unternehmen, das ein gewisses Training und eine nicht zu unterschätzende physische Anstrengung voraussetzt, die jedoch mit einzigartigen und atemberaubenden Ausblicken belohnt wird. Unvergesslich und voll Emotionen ist auch eine weitere berühmte Attraktion des Grand Canyon, nämlich eine Wildwasserfahrt auf dem Colorado durch die ganze Schlucht. Spezielle Schlauchboote für maximal 18 Personen nehmen es mit den Strömungen des Flusses auf. Die Fahrt beginnt am Canyon Whitmore und führt bis Pierce Ferry am Lake Mead. Ein ideales Abenteuer für Naturfreunde, denen sich der Grand Canyon aus dieser Perspektive in seiner ganzen überwältigenden Schönheit darbietet.

DER SÜDRAND

Ob sie nun in der Postkutsche, mit dem Zug oder mit dem Automobil eintrafen, die meisten der viele Millionen zählenden Besucher des Grand Canyon lernten zunächst den Südrand kennen. Voller Ehrfurcht starrten sie von dort in die tiefe Spalte bis zu dem schmalen Wasserband hinab, das sich weit unten zwischen seinen bizarren Formationen windet. Da das Colorado Plateau nach Süden abfällt, liegt der Südrand 300 bis 400 m tiefer als der Nordrand und man hat daher einen überwältigenden Blick auf den tief erodierten Absturz der Nordseite. Der Anblick bewirkt ein so starkes Gefühl von Verwunderung und Demut, dass die Besucher, nach aufgeregter Vorfreude, nur noch schweigend in staunender Kontemplation am Canyon-Abgrund verharren. Die Anreise von Williams oder Flagstaff auf breiten, ebenen Straßen durch den Kaibab National Forest mit seinen sich meilenweit ausdehnenden, mächtigen Kiefernwäldern lässt in keiner Weise vermuten, was einen erwartet. Plötzlich öffnet sich die ungeheure Schlucht zu unseren Füßen und erfüllt den ganzen Horizont. Da das Coconino Plateau auf dieser Seite des Colorado südwärts abfällt, fließen nur wenige Bäche von Süden in den Colorado und die Schluchtwände sind wesentlich weniger zerklüftet als die des Kaibab Plateaus im Norden. Am Südrand regnet es auch weniger (ungefähr 37 cm pro Jahr) als am Nordrand (ungefähr 68 cm) und nicht einmal die Hälfte der Schneemassen des Nordens schmelzen hier im Frühjahr, um sich dann in die Schlucht zu ergießen. Daher besitzt der Südrand wesentlich steilere Wände, die auch dichter an den Fluss heranreichen. Fast 1,5 km unter dem Südrand gelegen, fließt der Colorado in einer Luftlinie von 4 km vom Rand entfernt. Der um 21 Grad abfallende Abhang wirkt wesentlich steiler. Von Anfang an übte der Grand Canyon eine so starke Faszination aus, dass es nicht genügte, ihn nur für kurze Zeit und nur von einem Ort aus zu beobachten. Daher entstanden im Lauf der Jahre Einrichtungen, um ihn genauer in Augenschein nehmen zu können. Es gibt Hotels, Museen, einen Fahrweg längs der Schlucht, einen Pfad zum Fluss hinunter und sogar einen Flugplatz, von dem man mit dem Hubschrauber über den Canyon fliegen kann. Der National Park Service ist zwei Aufträgen verpflichtet, die sich eigentlich widersprechen. Einerseits soll er das Gelände für das Vergnügen der Besucher erschließen, andererseits muss er es in seinem natürlichen Zustand erhalten. Jede Straße und jedes Gebäude entspricht der ersten Auflage und verletzt die zweite. Deshalb sind die Erschließungen des Südrandes ein Kompromiss. Sie entsprechen nicht den Kriterien eines luxuriösen Ferienortes, zerstören aber auch nicht das Erscheinungsbild und das Wirken der Natur.

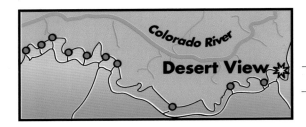

DESERT VIEW

(Höhe: 2.267 m)

Viele Besucher des Grand Canyon fahren von Flagstaff durch das Navajo Reservat in Richtung Norden und erreichen den Südrand bei Desert View (Wüstenblick), dem Ostende des Rim Drive (Uferweges). Das ist ein guter Ort, um damit zu beginnen, diese ungewöhnliche Welt ein wenig kennenzulernen. Nach Osten liegt das Land fast eben vor uns, es nennt sich Marble Platform (Marmorplateau) und Painted Desert (Gemalte Wüste). Dann erfolgt in einer allmählichen, sanften Kurve der Anstieg um fast 400 m zum Kaibab Plateau und wieder scheint sich dort eine Ebene zu erstrecken. Der gekrümmte Anstieg nennt sich East Kaibab Monocline. Vor etwa 65 Millionen Jahren wurde hier die Erdkruste mit solcher Kraft von Osten nach Westen gepresst, dass sie sich auffaltete und das Hochland bildete, durch das sich dann später der Colorado hindurchfraß. Sieben Meilen östlich von Desert View ergießt sich das braune Wasser des ungezähmten, nach Norden fließenden Little Colorado River in das westlich strömende, klare Wasser des Colorado. Der Farbkontrast zwischen den beiden Flüssen beweist, daß der Glen Canyon-Damm den rotbraunen Schlamm zurückhält, von dem der Colorado einst seine Färbung erhielt, sodass die Spanier ihn "Colorado" nannten. Heute wird die Masse von Erosionsmaterial der Zuflussgebiete im Norden vom Lake Powell zurückgehalten, der sich allmählich damit sättigt. Der Aussichtsturm auf dem Vorgebirge soll in Form und Konstruktion daran erinnern, dass dieses Land zu einem guten Teil immer noch der eingeborenen Bevölkerung gehört. Mary Jane Colter, die ihn entwarf, konzipierte ihn als eine "Neuerfindung" der prähistorischen amerikanischen Strukturen, die sie analysiert hat. Das Bruchsteinmauerwerk ist authentisch, auch wenn es von einem Stahlrahmen zusammengehalten wird. Die Wandgemälde im Inneren führte der Hopi-Künstler Fred Kabotie aus. Desert View hält Antworten bereit, stimuliert aber vor allen Dingen neue Fragen, und der Besucher entfernt sich längs des Canyon-Randes nach Westen, auf der Suche nach einer Bestätigung dafür, dass das, was unglaublich erscheint, doch noch eine Erklärung finden wird.

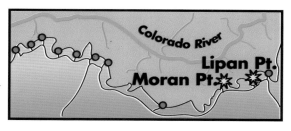

LIPAN POINT

(Höhe: 2.243 m)

Der Bach, der fast unmittelbar unterhalb von Lipan Point in den Colorado mündet, nennt sich Seventy-five Mile Creek. Er ist einer von den vielen namenlosen Sturzbächen, die nach der Entfernung von dem willkürlich gewählten Ort Lee's Ferry bezeichnet werden, dem Startpunkt für Exkursionen auf dem Fluss. Jenseits von Escalante Butte, einem Berggipfel, der sich gleich nördlich von Seventy-five Miles Creek aus der Canyon-Wand erhebt, macht der Fluss eine S-Kurve, in deren Mitte sich die Unkar Rapids (Stromschnellen) befinden, mit einem Höhenunterschied von 7,60 m auf 0,4 km. In Lipan Point beginnt der neun Meilen lange Tanner Trail (Gerberpfad) hinunter zu der kiesigen Mündung des Unkar Creek, einem anderen Bach.

Dort unten liegen Ruinen der Anasazi-Indianer, die mehr als tausend Jahre alt sind.
Etwas weiter rechts, jenseits der S-Kurve, am Fuß von horizontalen Gesteinsschichten, die Apollotempel genannt worden sind, kann man sehen, dass die Schichten nach rechts abknicken. Zwischen diesen abgewinkelten Lagen von Grand Canyon Supergroup aus dem Präkambrium und den horizontalen Schichten von Tapeats-Sandstein liegt ein Zeitsprung von 500 Millionen Jahren, den Major Powell Great Unconformity (Große Diskordanz) nannte.
Beim Verlassen von Lipan Point kann man weit im Süden die schneebedeckten San Francisco Peaks in der Nähe von Flagstaff sehen.

MORAN POINT

(Höhe: 2.181 m)

Thomas Moran war ein amerikanischer Landschaftsmaler des 19. Jahrhunderts. Seine eindringlichen Gemälde spielten eine wichtige Rolle, als man die Amerikaner und ihre Volksvertreter davon überzeugen wollte, daß einige Teile ihres wilden Landes unter Naturschutz zu stellen seien. Yellowstone, der erste Nationalpark der Welt, verdankt seine Existenz zum größten Teil den dramatischen Bildern, die der Künstler von diesem Naturwunder malte. Und so verhält es sich auch mit dem Grand Canyon Nationalpark.
Moran erzählte, dass er sich von den subtilen Farben des Canyon und dem ständig wechselnden Licht herausgefordert fühlte, was ihn sogar dazu brachte,

seinen Malstil zu ändern. Dieser Aussichtspunkt mit Blick auf Red Canyon, Hance Rapids, Coronado Butte und Sinking Ship war einer von ihm bevorzugten Orte für diesen künstlerischen Wettkampf mit der Natur.
Captain John Hance, nach dem Hance Rapids und Hance Canyon benannt wurden, war der erste europäische Amerikaner, der sich am Grand Canyon niederließ. 1883 schlug er seinen Wohnort an einer Quelle gleich westlich von Moran Poit auf. Der ursprüngliche Erzschürfer entdeckte, dass mit dem Tourismus bessere Geschäfte zu machen waren und geleitete die Besucher auf von ihm angelegten Pfaden hinunter zum Fluß.

TUSAYAN RUINS

Nicht ganz 6 km von Moran Point entfernt erstreckt sich einer der letzten Orte im Gebiet des Grand Canyon, der von den Anasazi bewohnt wurde, bevor sie weiter östlich oder in die Nähe des heutigen Hopi Reservats zogen. Emile W. Haury grub die Reste im Jahr 1930 aus.

"Anasazi" ist ein Navajo-Wort, das "Die Alten" bedeutet. Die Anasazi waren wahrscheinlich die direkten Vorfahren der heutigen Hopi. Ungefähr 500 n.Chr. zogen sie in den Canyon und lebten dort bis etwa 1150. Im Lauf der Jahrhunderte hingen sie mehr und mehr vom Getreideanbau ab und damit vom Wasser. Man nimmt an, dass sie nach einer Reihe von besonders trockenen Jahren gezwungen waren, weiter östlich nach zuverlässigeren Wasservorkommen zu suchen, die sie dann bei den Hopi-Quellen in der Mitte des heutigen Neu Mexiko fanden.

Die Ausgrabung zählt zu den mehr als 2.000 Gebäuden, die man rechts und links vom Canyon und auch innerhalb der Schlucht fand. Einige von ihnen wurden anscheinend nur zum Anbau des Getreides und während der Erntezeit bewohnt, andere dienten als ganzjährige Wohnungen und Lagerhäuser.

Die Anasazi bauten ihre Häuser aus Steinen, die sie mit Lehm verfugten. Die Dächer bildeten sie aus großen Balken, die sie zunächst mit Stöcken, dann mit Rinde und zuletzt mit Lehm bedeckten. Die das ganze Jahr benutzten Gebäude waren L- oder U-förmig nach Süden gewandt und so groß, dass mehrere Familien und deren Vorräte darin Platz fanden. Diese Indianer konnten feine Körbe flechten und verstanden sich auch aufs Töpfern. Nach der Einführung der Baumwolle aus Mexiko entwickelten sie Spinn- und Webetechniken. Das Museum in den Ruinen von Tusayan enthält Ausstellungsstücke, die nicht nur die Anasazi-Kultur veranschaulichen, sondern auch die Gebrauchsgegenstände und den Lebensstil der anderen Ureinwohner und deren Nachfahren, die den Grand Canyon und die umliegende Region bevölkerten. Die Besucher können alleine zwischen den Ruinen umherwandern, die zur Parkverwaltung gehörenden Ranger stehen aber auch für Erklärungen zur Verfügung.

ANASAZI

Anasazi

Sites spanning at least 600 years are
found throughout the Grand Canyon.
Sites similar to Tusayan are found
several places along the rim. The
ruins and artifacts hint at an
interwoven society rather than
isolated settlements.

A cache of Anasazi pots was found

GRANDVIEW POINT

(Höhe: 2.257 m)

Eine Eigentümlichkeit der Luftbewegungen im Canyon scheint dafür zu sorgen, dass am Grandview Point etwas mehr Niederschläge registriert werden als an dem übrigen östlichen Südrand. Deshalb steht hier der gewaltige Kiefernwald noch dichter und erreicht fast den Canyon-Absturz. Vermischt mit den Kiefern stehen Gruppen von Gambel-Eichen und direkt am Rand, wo das Mikroklima wärmer und trockener ist, dominieren Pinyon-Kiefern und Wacholder. In den ersten Jahren kamen die Besucher fast ausschließlich hierher. Das kam so: Im Jahr 1890 begann Peter Berry unterhalb von Grandview Point an der Horseshoe Mesa ein Schürfrecht zu nutzen. Sieben Jahre lang förderte er eines der hochwertigsten Kupfererze Amerikas aus dieser Mine. Aber die Föderkosten in einer so abgelegenen und schwierigen Gegend machten auch das feinste Erz wirtschaftlich uninteressant, deshalb verlegte sich Berry auf den Tourismus. Er baute das zweigeschossige Grand View Hotel und blieb jahrelang der Besitzer des wichtigsten Gastbetriebes am Canyon. Doch als 1901 die Eisenbahn bis zum Südrand ausgebaut war und sich das Grand Canyon Village entwickelte, nahmen bei Berry die Besucher ab, sodass er 1908 das Hotel und auch die

Kupfermine für immer schloss. Wie schon der Name Grandview verrät, genießt man von hier aus einen der schönsten Ausblicke auf den Grand Canyon. Das Panorama erstreckt sich ohne Unterbrechung von Desert View im Osten mit Marble Platform dahinter bis zum Shoshone Point ganz weit flussabwärts im Westen. Details des Nordrandes und zahlreiche durch Erosion verursachte Formationen (die alle äußerst fantasievolle Namen tragen) sieht man im Morgenlicht besonders deutlich.

Ein wenig rechts von Horseshoe Mesa liegt die ausgewaschene Schlucht des Hance Creek, die bis zum Colorado hinunter führt. Dort wo das V-förmige Bachbett auf den Fluss trifft, befindet sich eine geologisch besonders interessante Stelle. Der am tiefsten gelegene Fels mit den zarten vertikalen Streifen nennt sich Wischnu Schiefer, die zwei Billionen Jahre alte Grundschicht dieser Region. Unmittelbar darüber lagert horizontal der so genannte Bass Kalkstein, er zählt zu der Grand Canyon Supergroup aus dem späten Präkambrium. Dies ist die frühere der beiden wichtigsten geologischen Diskordanzen, die man in dieser Gegend antreffen kann. Major Powells "Great Unconformity" stammt aus späterer Zeit.

YAKI POINT

(Höhe: 2.212 m)

Von Yaki Point hat man einen wundervollen Blick auf die zentrale Partie des Canyon. Rechterhand, auf der anderen Seite erhebt sich ein abgeplatteter Gipfel, den François Matthes, ein Wissenschaftler und Miglied der ersten staatlichen geologischen Expedition, Wotans Thron nannte. Gleich rechts davon fällt ein weiterer Gipfel ins Auge, den Clarence E. Dutton, ein Geologe und Schüler von Major Powell, den Wischnu Tempel nannte.

Unterhalb von Yaki Point erstreckt sich der relativ sanfte Abhang der Tonto Platform, die aus breiten, grau-grünen Schichten von Bright Angel Tonschiefer besteht. Der Tonto Trail, der längste Wanderpfad des Nationalparks, führt an diesem Plateau entlang und erstreckt sich über 116 km zwischen Garnet Canyon im Westen und Red Canyon im Osten.

Von diesem Aussichtspunkt sieht man auch Abschnitte des South Kaibab Trail. Er ist einer von den drei Pfaden, die mittels Hängebrücken den Südrand mit dem Nordrand des Canyons verbinden. Der Pfad beginnt an einer Seitenstraße, 0,8 km südlich von Yaki Point. Er wurde 1925 vom Park Service fertiggestellt. Bis damals gab es nur einen einzigen sicheren Pfad hinunter zum Fluß, den Cameron Toll

Road, der ursprünglich (und auch heute wieder) Bright Angel Trail hieß. Der Kaibab Trail wurde vor allem gebaut, um Ralph Camerons Monopol eines leicht zugänglichen Weges zum Inneren des Canyon und zum Colorado zu brechen.

Nach Westen, unterhalb vom Aussichtspunkt Yaki Point, liegt der sog. Pipe Creek, an dem sich folgender Schabernack ereignet hat: In der Zeit um 1890 wanderten Pete Berry, die Gebrüder Cameron und Mike McClure auf dem Tonto Trail entlang, als Ralph Cameron, der als erster ging, in dem Bett des kleinen, damals unbenannten Baches eine Meerschaumpfeife fand. Schnell gravierte er ein Datum des späten 18. Jahrhunderts in die Pfeife und ließ sie dort liegen, damit die anderen sie fänden. Einer von ihnen stieß ebenfalls auf die Pfeife und für längere Zeit wunderten sich die drei, wer hundert Jahre vorher die Pfeife verloren haben könnte.

DER WALD DES SÜDRANDES

Der Südrand des Grand Canyon ist gleichzeitig der Nordrand des Coconino Plateaus, welches seinerseits das südliche Ende jenes Fragmentes angehobener Erdkruste ist, das die Geologen Colorado Plateau nennen. Zum größten Teil herrscht in der Coconino Region ein halbtrockenes Klima vor, weshalb die dominierende Vegetation aus Pinyon Kiefer und Utah Wacholder besteht, zwischen denen auch Wüstenpflanzen gedeihen.

In der Nähe des Randes und noch mehrere Meilen weiter südlich ist die Höhe über dem Meeresspiegel fast zu hoch für das Ökosystem aus Pinyon Kiefer und Wacholder, und die Niederschläge sind teilweise sogar ausreichend für die Gelbkiefer.

Die tiefen, weit verzweigten Wurzeln machen es der Gelbkiefer möglich, trockenere Lebensbedingungen auszuhalten als die meisten großen Kiefern aus temperierten Klimazonen.

Direkt am Canyon-Abbruch verursachen trockene, warme Aufwinde bessere Überlebenschancen für Pinyon Kiefer und Wacholder, sodass sie dort wieder vorherrschen. Zwergeichen behaupten sich in beiden Pflanzengruppen, doch eignen sie sich weit besser als Unterholz unter den Gelbkiefern. Palmlilien, Kliffrosen, Mormonentee, Bergmahagoni und große Salbeibüsche sind dagegen als Unterholz

im Pinyon-Wacholder-Wald verbreitet. Erd- und Baumhörnchen gehören zu den kleinen Säugetieren, die den Wald des Südrandes bevölkern. Das Abert Eichhörnchen ist die Südrand-Unterart des Quastenohrhörnchens, das es nur im Grand Canyon-Gebiet gibt. Beide Arten, das Abert und das Kaibab Eichhörnchen des Nordrandes haben sich an die Gelbkiefern angepasst, deren Samen ihnen als Hauptnahrungsquelle dienen.

Während der letzten Eiszeit, als ein wesentlich kühleres und feuchteres Klima dafür sorgte, dass die Gelbkiefer bis in den untersten Abgrund des Canyon vordrang, bildeten die Quastenohrhörnchen einen homogenen Bestand. Die Klimaveränderungen bewirkten dann, dass unten in der Schlucht keine Kiefern mehr wuchsen und die Hörnchen in zwei Gruppen aufgeteilt wurden, die leichte Unterschiede in den Erbanlagen aufweisen. Es mag sein, dass sie eines Tages als zwei verschiedene Arten eingestuft werden. Das Abert Eichhörnchen des Südrandes hat Kopfpartie, Rücken und Oberseite des Schweifs dunkel gefärbt, während Bauchpartie, Pfoten und Unterseite des Schweifs fast weiß sind. Offenbar ist seine Ernährung verschieden genug für eine getrennte Entwicklung von der Kaibab Kusine jenseits der unüberwindlichen Schlucht.

35

MATHER POINT

(Höhe: 2.170 m)

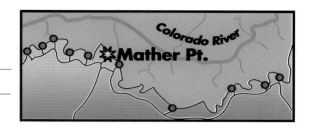

Mather Point trägt seinen Namen zu Ehren des ersten Direktors des National Park Service, Stephen T. Mather. Da die meisten Besucher des Südrandes sich zum Grand Canyon Village und zum Mather Center begeben, haben sie von diesem Punkt aus die erste Gelegenheit, um einen Blick auf die Schlucht zu werfen. Von Mather Point überblickt man zwar nur ein Viertel des Canyons, doch ist das völlig ausreichend, um jedermann davon zu überzeugen, dass er das "Siebte Naturweltwunder" vor Augen hat. Nach einer gewissen Zeit des überwältigten Staunens möchten die Besucher vielleicht auch an Zahlen und Dimensionen denken. Gerade vor ihnen liegt, 16 km entfernt, der Nordrand, so weit wie die im Aufwind gleitenden Raben fliegen mögen. Das dünne Wasserband dort unten ist in Wirklichkeit etwa 90 m breit und liegt fast 1,5 km tiefer als Mather Point. Die etwa 21 Grad geneigte Luftlinie bis zum Fluss, die uns wesentlich steiler vorkommt, hat eine Länge von 5 km. Die mittlere Flusstiefe beträgt 15 m, auch wenn sie an einer Stelle sogar 34 m erreicht. Die mittlere Fließgeschwindigkeit beträgt sechs Stundenkilometer und erreicht in gewissen Stromschnellen 16 kmh. Der Colorado hat innerhalb des Canyons das für einen großen Fluß ungewöhnliche Gefälle von 2,5 m pro km. Mather Point eignet sich gut dafür, den nördlichen Abhang näher in Augenschein zu nehmen. Er ist 360 m höher als der südliche Absturz, sodass man den dichten Wald des Kaibab Plateaus nicht sehen kann. Doch kann man erkennen, dass die Nordseite wesentlich langsamer abfällt und dass der zerklüftete Canyon-Rand viel stärkere, von Sturzbächen verursachte Spuren zeigt als der Südrand. Die dichte Bewaldung und die intensivere Erosion hängen von den häufigeren Niederschlägen und von der größeren Höhe ab. Wenn die fünf Meter hohe Schneedecke im Frühjahr abschmilzt, werden die Bäche zu reißenden Strömen, die

tiefe Schluchten schneiden. Jenseits des Colorado zwischen dem flachen Hochland des Walhalla Plateaus im Osten und dem Kaibab Plateau im Westen hat der Bright Angel Creek eine tiefe Kluft ausgewaschen. Oben links am Rand des Canyon, dort wo der Bright Angel Canyon beginnt, steht Grand Canyon Lodge; das Gebäude ist so gut in seine Umgebung eingepasst, dass man es selbst mit dem Fernglas nur schwer entdecken kann. Unten an der Mündung des Bright Angel Canyon befindet sich die Kaibab Hängebrücke, die 1928 vollendet wurde. Sie ist 134 m lang und erhebt sich 18 m über der mittleren Wasserstandshöhe des Colorado. Sie ist das Bindeglied zwischen dem Bright Angel und South Kaibab Trail auf dieser Seite und dem North Kaibab Trail auf der gegenüberliegenden Canyon-Seite. Von der Brücke aus etwa 800 m flussabwärts baute man 1966 eine zweite Hängebrücke, die vor allem dazu diente, von Roaring Springs, am nördlichen Abhang, eine etwa 30 km lange Wasserleitung nach der wasserlosen Südseite über den Fluss zu legen. Diese Brücke benutzen die Wanderer, sie wird aber nicht von Maultieren überquert, weil diese zwischen den Planken das von ihnen gefürchtete Wasser fließen sehen. Den North Kaibab Trail baute David Rust zu Beginn des 20. Jahrhunderts in vierjähriger Arbeit. Als er damit fertig war, pflanzte er nicht weit vom Fluss am unteren Ende des Pfades Pyramidenpappeln und Obstbäume und gründete das Rust Camp als Ausflugsziel für Besucher von der Nordseite. Dieser Name wurde in Roosevelt Camp umgeändert, nachdem 1913 der damalige Präsident zu Besuch gekommen war. Den endgültigen Namen Phantom Ranch erfand 1922 Mary Jane Colter, die das Gebäude umgebaut und vergrößert hatte. Sie gestaltete noch mehrere andere Bauwerke für den Grand Canyon.

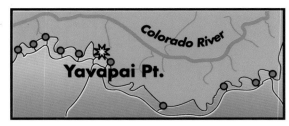

YAVAPAI POINT

(Höhe: 2.161 m)

Ein zweiter Name für Yavapai Point lautet Grandeur Point. Er ist wirklich angebracht, denn man sieht von hier aus mehr als die Hälfte des Canyons, von Desert View im Osten bis zum Havasupai Point im Westen. Der Blick von hier nach Westen fällt auch auf verschiedene Abschnitte des Bright Angel Trail, der sich vom Nordrand (2.000 m ü.d.M.) 7,2 km zu den Indian Gardens hinunterwindet (1.200 m ü.d.M.) und dann nochmals 5 km bis zur Brücke über den Colorado (760 m ü.d.M.). Man glaubt, dass der Pfad ursprünglich ein Wildwechsel des Dickhornschafes war, den dann die Indianer benutzten, um ihre Getreidefelder auf einer ziemlich ebenen Terrasse zu erreichen, die sich etwa 1 km unter dem Canyon-

Rand erstreckt. In geschichtlicher Zeit diente der Pfad mit Sicherheit den Hualapai und den Havasupai.

Im Jahr 1891 erweiterte der damalige Besitzer des Grandview-Gebäudes, Pete Berry, den Pfad zusammen mit Ralph und Niles Cameron. Ralph Cameron brachte den Pfad unter seine direkte Kontrolle, indem er an ihm Schürfstellen anlegte. Danach baute er am oberen Pfadende eine Hütte für die Erhebung von Mautgebühren; jeder Reiter, zu Pferde oder mit Maultier, musste 1.00 $ bezahlen. Seine Kontrolle über den Pfad wurden sowohl von der Santa Fe Company als auch später von dem National Park Service angefochten, aber ohne Erfolg. Cameron trat schließlich seine Rechte an die Coconino County ab, verwaltete aber immer noch den Pfad und steckte den Großteil des Profits in die eigene Tasche. Der South Kaibab und Hermit Trail wurden in erster Linie gebaut, um Camerons Zugangsmonopol ins Innere des Canyons zu brechen.

1928 übergab die Coconino County ihre Hoheitsrechte über den Pfad an die Parkverwaltung und ließ sich dafür den Bau einer Straße von Williams bis zum Canyon genehmigen. Damals verbesserte der Park Service bestimmte Abschnitte des Pfades, um seine Sicherheit zu erhöhen und Umweltschäden zu verringern. Es entstanden außerdem ein Wächterhaus bei Indian Gardens und vier Schutzhütten längs des Pfades. Von Yavapai Point sieht man den Plateau Point Trail, einen 2,4 km langen Stichpfad von Indian Gardens bis zur Kante der Tonto Platform. Der 400 m hohe, senkrechte Absturz bis zum Flussniveau lohnt die Exkursion.

GRAND CANYON VILLAGE

Vor tausend Jahren siedelten die ersten Indianer am Südrand des Grand Canyon. Sie waren Jäger und begannen damals mit der Landwirtschaft. Vor hundert Jahren ließen sich hier die ersten europäischen Amerikaner nieder. Sie waren Bergleute und begannen damals, sich auf den Tourismus umzustellen.

John Hance war der Erste. 1883 baute er eine Hütte in der Nähe von Grandview Point. Danach baute er ein Hotel und richtete eine Kutschenverbindung mit Flagstaff ein. Von jener Zeit an zielten alle menschlichen Unternehmungen in der Gegend darauf ab, sich in den Dienst der Besucher zu stellen. Auch der National Park Service erschließt

das Gelände für die Touristen, bewahrt es zum Wohle der Allgemeinheit und beschützt Land und Leute voreinander. J. Wilbur Thurber leitete die Transportgesellschaft, die die Kutschenverbindung zwischen Flagstaff und dem Canyon aufrecht erhielt. 1896 baute er, im Wettbewerb mit John Hance und dessen Grandview Hotel, eine Hütte und schlug in der Nähe des Bright Angel Trail einige Zelte auf. Sein Bright Angel Hotel erhob sich an derselben Stelle, wo heute die Bright Angel Lodge steht. Die Kutschenreise zum Canyon war endlos, anstrengend und teuer, sie dauerte 11 unbequeme, ermüdend lange Stunden und kostete 20,00 $, mit einem Tranportmittel, das der Verbesserung bedurfte.

Im September 1901 war es soweit. Die erste Zugladung mit Touristen erreichte den Canyon nach nur drei vergnüglichen Stunden Zugfahrt und zu einem Preis von nur 3,95 $. Da die Eisenbahnlinie ungefähr 19 km westlich von Grandview auf den Canyon stieß, verschoben sich alle Aktivitäten dorthin. Das Grand Canyon Village entstand, wo die Eisenbahn aus dem Süden und der Bright Angel Trail aus dem Norden aufeinanderstießen.

Bald nach der Eröffnung der Eisenbahnlinie zum Canyon bemühte sich die Santa Fe Railway Company darum, die Touristikunternehmen am Südrand zu verbessern. Als 1905 das El Tovar Hotel vollendet wurde, hatten die Dienstleistungen das Niveau der Luxusklasse erreicht. Der typische Besucher des Grand Canyon war inzwischen jemand, der, von seiner Reise quer durch den Kontinent, einen Abstecher eingeplant hatte. Er erreichte den Canyon im Schlafwagen und wurde dann mit einer zweisitzigen Kutsche zum El Tovar Hotel gebracht, dessen Bequemlichkeiten mit dem Standard Schritt hielten, der überall in den Vereinigten Staaten angeboten wurde.

Zu den touristischen Angeboten zählten ein Ausflug am Canyon-Rand entlang und den Bright Angel Trail hinab bis zu Indian Gardens, oder auch bis hinunter zum Colorado und wieder empor bis zum Nordrand. Zur Überquerung des Colorado diente

eine Stahlseilbrücke, ein Vorläufer der heutigen Hängebrücke. Die Touristen aus der Frühzeit des 20. Jahrhunderts taten mehr oder weniger dieselben Dinge, die auch heute noch getan werden, außer dass sie mit dem Zug und mit von Pferden gezogenen Kutschen eintrafen und nicht mit Bussen und Automobilen. Innerhalb des Canyons jedoch bewegten sie sich mit Hilfe von Maultieren, wie auch heute.

Das El Tovar Hotel sorgt immer noch für die Bequemlichkeit der Gäste, ebenso wie die Bright Angel Lodge, die Thurbers rudimentale Anhäufung von Zelten und Hütten ersetzt hat. Außerdem kann man inzwischen an vier weiteren Plätzen im Canyon übernachten: Kachina Lodge, Maswick Lodge, Thunderbird Lodge und Yavapai Lodge. Und auf der Phantom Ranch gibt es einen Schlafraum und Hüttenplätze. Essensmöglichkeiten bieten alle diese Einrichtungen, aber auch die Delikatessenabteilung von Babbits General Store.

Wie zu erwarten, haben sich die Bedürfnisse der heutigen vier Millionen Besucher pro Jahr, die nicht mehr zu wenigen hundert, mit der Kutsche oder der Eisenbahn, sondern mit Automobil, Bus, Flugzeug oder Wohnwagen ankommen, entscheidend gewandelt. Auch das Grand Canyon Village hat zwar immer noch seine traditionelle Aufgabe, die Besucher zu versorgen, ist aber dennoch gewachsen und hat sich verwandelt. Heute gibt es eine Bank, ein Postamt, eine Apotheke, eine Klinik, eine Kapelle, eine Autovermietung und -werkstatt,

und sogar ein Gemeinschaftshaus und ein Theater. Aber auch viele der alten Einrichtungen gehören nach wie vor zum Village. Da die meisten inzwischen einen historischen Charakter haben, wird man sie so getreu wie möglich in ihrem ursprünglichen Zustand erhalten. Also lohnt ein Besuch dieser Gebäude. Hier folgt eine kurze Beschreibung der reizvollsten unter ihnen:

Red Horse Station - Das am stärksten an Wildwestfilme erinnernde Gebäude der Bright Angel Lodge ist eine Blockhütte aus roh behauenen Balken, von der erzählt wird, dass sie ursprünglich für die Red Horse Station entstand, einem der drei Halteplätze der alten Postkutschenlinie. Dort wurden die Pferde gewechselt und die durchgeschüttelten Passagiere konnten sich kurz ausruhen. Ralph Cameron versetzte die Hütte an ihren heutigen Platz, fügte eine Veranda hinzu und erweiterte sie zum Cameron Hotel, indem er noch ein Stockwerk darüber baute. Von 1910 bis 1935 diente das Hotel als Postgebäude. Danach restaurierte man es und gab ihm wieder die ursprüngliche Blockhüttenform, in der es zum heutigen Herbergsbetrieb zählt.

Kolb Studio - 1904 bauten Ellsworth und Emery Kolb ein kleines Fotogeschäft am Canyon-Rand, nahe an dem Punkt, wo der Bright Angel Trail beginnt. Im Lauf der Jahre wurde das Geschäft vergrößert und für eine gewisse Zeit diente es als Tanzlokal, als Kino und als Trinkhalle für Sodawasser. Emery Kolb führte den Foto- und Andenkenladen bis zu seinem Tode im Jahr 1976. Danach fiel das Gebäude an die Park-Verwaltung.

Lookout Studio - Mary Jane Colter entwarf 1914 für die Fred Harvey Company noch ein Ateliergebäude am Südrand. Auch hier folgte sie den von ihr selbst aus der Kenntnis der Hopi-Ruinen abgeleiteten Regeln und errichtete einen flachen Bau aus ungeglättetem Kalkstein mit einer unregelmäßigen Dachsilhouette, der sich unaufdringlich in die Felsenlandschaft einfügt.

Buckey O'Neill Cabin - Diese Blockhütte ist heute das älteste Bauwerk des Südrandes und vielleicht das älteste, das überhaupt dort in Angriff genommen wurde. Zu Beginn der achtziger Jahre des 19. Jahrhunderts war Buckey O'Neill Mitbesitzer einer Kupfermine, die 24 km südlich von dem Beginn des Bright Angel Trail lag. Trotz der nicht unerheblichen Entfernung von der Mine liebte O'Neill den einsamen Platz so sehr, dass er dort eine Hütte baute. Außer um seine Hütte, die eine zeitlang Bestandteil von Thurbers Bright Angel Hotel war und dann in Colters Planung für die Bright Angel Lodge aufging, kümmerte sich O'Neill um die Eisenbahn, die als Initialzündung für die Entwicklung des Grand Canyon Village fungierte. Er hatte eine Bergbaugesellschaft dazu überredet, eine Eisenbahnlinie bis zum Canyon zu legen, um dort Gold zu fördern. Als die Gesellschaft pleite ging, kaufte die Santa Fe Company die halbfertige Bahnlinie und vollendete sie bis zum Canyon-Rand.

Hopi House - Das 1905 fertiggestellte Gebäude sollte als Wohnraum und Werkstätte für Hopi-Handwerker dienen, die hier ihre Produkte erzeugten, die dann zusammen mit anderen Souvenirs von der Harvey Company verkauft wurden. Auch dieses Haus entwarf Mary Jane Colter nach einer Gebäudestruktur in dem Hopi-Dorf Old Oraibi.

Verkamp's Curios - John G. Verkamp mietete 1898 eines der Zelte, die zum Bright Angel Hotel gehörten

und verkaufte dort Andenken und handwerkliche Erzeugnisse, die es vorher nur in Flagstaff gab. Die Geschäfte im Zelt gingen aber nicht gut, sodass er nach wenigen Wochen aufgab. Da er dennoch fest an seine Idee glaubte, kam Verkamp im Jahre 1905 zurück und baute Verkamp's Curios an der Stelle, an der seine Nachfahren noch heute den Laden betreiben.

Santa Fe Railway Station - 1909, acht Jahre nach der Eröffnung der Bahnverbindung zum Grand Canyon, baute die Santa Fe Company den immer noch bestehenden Bahnhof. Seine rustikale Form war in Abweichung von den anderen Bahnhöfen der Eisenbahngesellschaft gewählt worden, damit er besser in die waldige Umgebung passe. Jedes Jahr erhöhte sich die Zahl der Passagiere. Ab dem Zweiten Weltkrieg nahm der Eisenbahnverkehr wieder ab, weil die Straßen und auch die Automobile allmählich immer besser wurden, sodass man 1968 die Bahnverbindung einstellte. Heute hat man den Betrieb wieder aufgenommen, sodass der Bahnhof wieder seiner ursprünglichen Funktion dient.

First NPS Administration Building - Die Stein- und Holzkonstruktion östlich des Bahnhofs und südlich von Verkamp's Curios entwarf Daniel Hull in einem Stil, der sich "NPS Rustic" nennt. Viele Jahre diente der Bau für die Verwaltung des Grand Canyon Nationalparks, später wurde er zur offiziellen Wohnung des Direktors.

Verschiedene andere Bauwerke des Grand Canyon Village sind zu historischen Gebäuden erklärt worden. Meistens erkennt man sie an ihrer rustikalen Bauweise aus Holz und Stein, die man einst für diese Umgebung als passend erachtete. Viele von ihnen dienten im Lauf der Jahre für die verschiedensten Zwecke, auch wenn ihr Aussehen unverändert blieb. Doch die Mule and Horse Barns (Maultier- und Pferdeställe) haben seit ihrer Errichtung (1907) immer noch dieselbe Aufgabe. Maultierritte in den Canyon waren schon immer ein beliebtes Touristenvergnügen, und jeden Morgen werden durch die Wrangler und Führer die Maultiere ausgesucht, gesattelt und dann zur Umzäunung am Beginn des Weges gebracht, auf dem die Besucher dann in den Canyon reiten.

Ein anderer Sport, der unter den wagemutigeren Canyon-Besuchern in den letzten Jahren volkstümlich geworden ist, kann vom Village aus nur arrangiert werden: Das Bootfahren auf dem Canyon beginnt weiter flussaufwärts, meistens von Lees Ferry aus. Heute ist eine Bootwanderung durch den Canyon ziemlich verschieden von der Art und Weise wie sie noch Major Powell erlebte. Das liegt nicht nur an anderen Bootformen, sondern auch an der Entwicklung besserer Wildwassertechniken. Die hilfreichste unter diesen Techniken ist vielleicht garnicht so neu. Ihr Erfinder heißt Nathaniel T. Galloway, der sie bei der vierten Fahrt auf dem

Colorado im Jahr 1897 zum ersten Mal anwandte. Die "Galloway Technik" besteht darin, insbesondere in Stromschnellen, mit dem Heck nach vorne zu rudern. Das bewirkt, dass der Ruderer in die Richtung schaut, in der das Boot treibt, dass er folglich den Fluss besser beobachten und die Geschwindigkeit durch einfaches Rudern mindern kann und damit auch das Boot besser unter Kontrolle behält. Außer von Kajakfahrern wird diese Technik seit damals von jedermann benutzt.

Die Flussfahrten von Einzelpersonen in kleinen Booten und von organisierten Gruppen auf riesigen Neoprene-Flößen hat dermaßen zugenommen, dass der National Park Service gezwungen ist, den Betrieb genau zu reglementieren, weil er für den Flusslauf im Inneren des Canyons sehr zerstörische Wirkungen zeitigt. Motorboote sind nicht erlaubt und die Anzahl der Flussreisen wurde erheblich eingeschränkt; außerdem ist es verboten, das Flussufer zu verwüsten oder Abfälle zurückzulassen. Auch Feuer anzünden ist nicht erlaubt, weil dabei viel zu viel von der Ufervegetation als Brennstoff mißbraucht wird. Trotz der Begrenzung dieses Abenteuers bleibt es weiterhin eines der aufregendsten Erlebnisse der Welt, sich den Launen des durch die tiefe Schlucht schießenden Flusses anzuvertrauen. Moderne Ausrüstung und erfahrene Bootlenker reduzieren erheblich die Gefahren, die noch 1869 John Wesley Powell und seine Männer auf sich nahmen, aber nur wenig das aufreizende Gefühl.

POWELL MEMORIAL

(Höhe: 2.145 m)

Major John Wesley Powell war derjenige, der uns die ersten den Tatsachen entsprechenden Informationen über die Form und Ausdehnung der großen Schlucht, über ihre Natur, ihre Geologie und Lebensformen verschaffte.

Daher scheint es angebracht, dass, während die Besucher voller Ehrfurcht am Südrand stehen und staunen, ein Monument an diesen tüchtigen Mann erinnert, der als Erster das bizarre Terrain in seinen Details untersuchte. Powell und weitere neun Expeditionsmitglieder trieben 1869 von weit im Norden kommend - erst auf dem Green River in Wyoming, dann auf dem Colorado bis zur Mündung des Virgin River im westlichen Arizona, weit jenseits dieser Stelle -, um einen weißen Fleck auf der Landkarte des westlichen Amerika auszulöschen. 1871 unternahmen sie eine zweite Bootsreise, um nochmals Daten aufzunehmen, die in Form von Notizen und Tabellen bei den riskanten Ereignissen der ersten Reise verloren gegangen waren. In einem Buch veröffentlichte er die Aufzeichnungen von beiden Reisen zusammen mit den Beobachtungen seiner Begleiter. Darin sind auch die folgenden Zeilen enthalten, die sehr gut veranschaulichen, wie sich die Entdecker am Ende ihrer Abenteuer fühlten:

"Das Gefühl von Erleichterung nach all der Gefahr und die Freude über den Erfolg sind groß... Stets lag eine unbekannte Bedrohung vor uns, die schlimmer war, als unmittelbare Gefährdung. Jede Stunde, die wir wach im Canyon verbrachten, bedeutete Mühsal. Mit großer Sorge beobachteten wir die ständige Abnahme unserer kärglichen Rationen, deren verschwindenden Rest hin und wieder auch noch der Fluss an sich riss, während wir hungerten... Jetzt ist die Gefahr vorüber, jetzt hat die Plackerei aufgehört, jetzt ist die Düsternis verschwunden, jetzt wird das Firmament nur noch vom Horizont begrenzt... unsere Freude ähnelt der Ekstase. Wir sitzen bis weit nach Mitternacht zusammen und reden über den Grand Canyon, reden über zu Hause..."

MARICOPA POINT

(Höhe: 2.133 m)

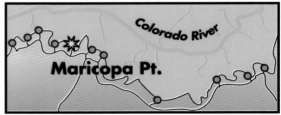

Maricopa Point ist das westliche Ende des in einer Länge von 4,3 km ausgebauten Rim Trail, von Mather Point nach Hermit's Rest. Das östliche Ende des ausgebauten Abschnitts endet in Yavapai Point. Außerdem gibt es einen ausgebauten Zuweg vom Village Loop Drive in der Nähe vom Visitor Center und Mather Amphitheater. Von Maricopa Point hat man einen guten Blick auf den Bright Angel Canyon an der gegenüberliegenden Flussseite. Dabei handelt es sich um eine größere Seitenschlucht, die das Colorado Plateaus in zwei Abschnitte unterteilt, in das Kaibab und das Walhalla Plateau. Die Ausdehnung der Erdkruste verursachte den Aufbruch dieser Verwerfungslinie, wobei die eine Hälfte des Plateaus um mehrere Meter tiefer als die andere zu liegen kam. Der Bright Angel Creek fließt in dieser Verwerfungslinie und hat den nördlichen Zufluss zum Grand Canyon-Rand ausgewaschen und sein eigenes Tal verlängert und vertieft. In einer weiteren Million von Jahren könnte der Bach das Walhalla Plateau endgültig abtrennen, sodass es nicht mehr eine Halbinsel bildet, wie heute, sondern eine ausgesprochene Insel. Major Powell benannte das Tal und den seitlichen Zufluss.

Hier seine Anmerkungen dazu: "Der kleine Zufluss, den wir hier entdeckt haben, ist ein klarer, wunderschöner Bach... Weiter flussaufwärts haben wir einen Zufluss zu Ehren eines Häuptlings der 'Bad Angels' (Böse Engel) benannt und dieser hier, der in wunderbarem Kontrast zu ihm steht, soll deshalb 'Bright Angel' (Heller Engel) heißen." Zwischen Maricopa Point und dem Plateau von Indian Gardens liegt eine breite Formation von rotem Felsen, dem man den Namen Battleship (Das Schlachtschiff) gegeben hat. Links vom Canyon-Rand befindet sich die Orphan Mine, für die Daniel Hogan 1893 die Schürfrechte nach Kupfer erhielt. Das Erz war besonders rein, aber die Transportkosten von solch einer entlegenen Gegend erwiesen sich bald als unrentabel, sodass der Bergbau eingestellt wurde. Als man 1954 Uranium entdeckte, lebte die Schürftätigkeit wieder auf, bis sie 1966 von neuem ein Ende fand. Die Mine ging 1976 in den Besitz des Grand Canyon National Park über. Von diesem Aussichtspunkt kann man außerdem tief in die Schlucht bis zum Fluss hinuntersehen, wo dunkler Wischnu-Schiefer mit seinen rosa Intrusionen von granitischem Gneis zu erkennen ist.

HOPI POINT

(Höhe: 2.155 m)

Fast genau nördlich auf der anderen Canyon-Seite erhebt sich ein breiter, oben abgeflachter Berggipfel, der etwa 200 m höher als Hopi Point ist. Er nennt sich Schiwa Tempel und ist im Grunde ein Teil des Kaibab Plateaus, das die Erosion vom Nordrand abgetrennt und für Tausende von Jahren isoliert hat. Wissenschaftler haben jahrelang Spekulationen darüber angestellt, ob sich auf dem Schiwa Tempel wegen seiner Isolation andere Lebensformen entwickelt haben mögen, als am Canyon-Rand. Diese Vermutungen gingen von dem Beispiel der beiden verschiedenen Arten von Quastenohrhörnchen aus, die sich durch den Canyon getrennt, auf der Nord- und Südseite verschieden entwickelt haben. Trotz dieser Spekulationen wurde der Schiwa Tempel bis 1937 nicht erforscht. In diesem Jahr endlich erkletterte eine Expedition des Amerikanischen Museums für Naturgeschichte, angeführt von Harold E. Anthony, den Felsengipfel. Die Medien veranstalteten um das Unternehmen einen ziemlichen Aufruhr, man sprach von der "Suche nach Dinosauriern". Die Forschungsergebnisse waren gleichzeitig enttäuschend und beruhigend. Die Wissenschaftler fanden an den Lebewesen keine Unterschiede im Vergleich mit denen des Nordrandes. Daraus war zu folgern, dass entweder die Trennung des Schiwa Tempels vom Kaibab Plateau nicht weit genug zurücklag, oder dass die nicht besonders tiefen Neben-Canyons, die den Gipfel vom Plateau abtrennen, keine ausreichende Barriere für die Arten des Nordrandes bilden.

Hopi Point gönnt uns einen lohnenden Ausblick in westlicher Richtung den Colorado entlang, einschließlich der Granit Rapids und der Mündung des Monument Creek. Der Zufluss westlich vom Aussichtspunkt nennt sich Salt Creek, der östliche zwischen Hopi Point und Powell Memorial heißt Horn Creek.

PIMA POINT

(Höhe: 2.048 m)

Auf dem Tonto Plateau sieht man, von der Westseite der Pima Point aus, schwache Spuren von Grundmauern ehemaliger Gebäude. Es handelt sich um die Überreste von Hermit Camp, einer Gruppe von Hütten für Touristen, mit Nebengebäuden, Maultierpferchen und einer Mensa. 1911 errichtete die Santa Fe Railway Company den Camp, damit die Besucher dort mitten im Canyon übernachten konnten. Man erreichte den idyllischen Ort auf dem Rücken von Maultieren, die über die kurvenreiche Berg- und Talbahn des neu gebauten Hermit Trail zogen. Der Maultierpfad ist von Pima Point aus sichtbar und wird noch heute benutzt. Der meiste Proviant wurde jedoch mit einer 900 m langen Seilbahn vom Canyon-Rand zu dem Stützpunkt hinuntergelassen. Ein Besucher der ersten Stunde beschrieb Hermit Camp folgendermaßen: "Es gibt dort alle Bequemlichkeiten, selbst für die höchsten Ansprüche... sowohl zum Essen als auch zum Schlafen. Diejenigen, die in Zelten schlafen wollen oder im Freien übernachten, werden ebenfalls aufgenommen." Die Landschaft ist aufregend schön, der Hermit Creek gräbt seinen schmalen Lauf durch die wüstenartige Umgebung und unterhalb von ihm liegt Lookout (Auslug), eine massige Felsformation, deren Haube aus Redwall Kalkstein in der Abendsonne leuchtet. Jenseits des Colorado erhebt sich wie ein Monolith der Ra-Turm und im Osten ragt Pima Point empor. 1930 wurde Hermit Camp geschlossen und man räumte die Gebäude ab, doch in der trockenen Wüstenatmosphäre im Inneren des Canyons werden sich die Spuren der Niederlassung noch für viele Jahre erhalten. Heute ist der Platz ein beliebtes Ziel für Rucksack-Camper. Östlich von Pima Point fließt der Monument Creek. Im Lauf der Jahre hat er so viele Felsblöcke in den Colorado hinunterbefördert, dass das 5 m hohe Riff der Granite Rapids entstand. Diese und die weiter westlichen Boucher Rapids gehören zu den Stromschnellen des Canyon, die das ganze Können der Flussfahrer herausfordern.

HAVASU FALLS

Das Havasupai Reservat wird im Osten und im Westen vom Grand Canyon National Park eingerahmt und umfasst seinerseits das Land auf beiden Seiten des Havasu Creek, einer der wenigen, ständig fließenden Bäche am Südrand. Havasu bedeutet "blau-grünes Wasser" und die Havasupai sind das "Volk des blau-grünen Wassers". Sie und die Hualapai, deren Reservat sich weiter westlich auf der ganzen Länge am Südrand erstreckt, sind die direkten Nachfahren des Cerbat Stammes, der dieses Territorium besiedelte, nachdem es 150 Jahre vorher von den Anasazi aufgegeben worden war.

Die Havasupai sind ein sehr kleiner Stamm von nur etwa 300 Personen. Sie betrieben schon immer Ackerbau und benutzten dabei das mineralreiche Wasser des Havasu Creek zur Bewässerung. Heute haben sie sich, wie die europäischen Amerikaner des Südrandes, ebenfalls auf Tourismus eingestellt, aber glücklicherweise in begrenzter Form, denn ihre liebenswürdige, idyllische Welt könnte mit Leichtigkeit von einem ungezügelten Touristenansturm zerstört werden.

Der Zugang zum Havasu Canyon ist nicht einfach.

Innerhalb der Schlucht gibt es keine Straße, sondern nur einen Pfad, auf dem man wandern oder mit dem Maultier reiten kann. Weiter unten fließt der Colorado mit den Booten der Flußfahrer und heutzutage kommen noch die Hubschrauber dazu, aber deren Flüge sind selten. Man muss sich in eine Warteliste eintragen, um diesen Garten Eden besuchen zu können.

Aus der Luft sieht der obere Abschnitt des Havasu Creek wie ein ausgefranster Riss in dem sonst flachen Land aus. Dem ständig fließenden, frischen Wasser verdankt der grüne Streifen des Havasu Canyon seine üppigen Ufer mit entsprechender Fauna, zu der Wasservögel, Kolobris, Dickhornschafe und Biber zählen. Ziemlich häufig sind auch die Ringtails, entfernte Verwandte des Waschbären, doch die Hauptattraktion für die meisten Besucher bleibt der Havasu Creek.

Ein steiler, aber gut erhaltener Wanderpfad begleitet den Bach auf seinem 1.300 m langen Abfall hinunter zum Colorado. Die Anstrengung des Rückweges wird durch die bezaubernde Landschaft und die erfrischenden Wasserfälle und Kaskaden entgolten.

Unter den Wasserfällen haben sich natürliche Bassins gebildet, in denen gerne gebadet wird. Zu den beliebtesten zählen die des Havasu- und Mooney-Falles.

Das Wasser sickert durch den Kalkstein des Coconino Plateaus in den Bach und ist daher mit Kalziumkarbonat gesättigt. Während es über die Felsenabsätze fließt, verursachen leichte Temperatur- und Druckunterschiede die terassenförmige Ablagerung des gelösten Kalksteins in der Form von Travertin, insbesondere rings um die Bassins.

Die Lebensweise der Havasupai scheint sich wenig von der ihrer Vorfahren zu unterscheiden. Ihre kulturelle Integrität verdanken sie teilweise einer natürlichen Veranlagung, teilweise ihrer relativen Isoliertheit und teilweise ihrem als Touristenattraktion dienenden Brauchtum. Aber die Bewohner dieser kleinen Welt für sich verewigen das Brauchtum wohl vor allem deswegen, weil es zur Natur des Havasu Canyons passt. Wenn jemand an diesem Ort leben will, dann am besten auf die Art und Weise, die sich schon seit Jahrhunderten bewährt hat. Die Havasupai bleiben Bestandteil dieses ausgeglichenen Ökosystems.

NAVAJO BRIDGE

Es gibt drei Wege vom Südrand des Grand Canyon zum Nordrand. Man kann zu Fuß oder auf dem Pferderücken den Bright Angel Trail oder den Kaibab Trail zurücklegen, den Colorado mittels der Hängebrücke am Ende des Bright Angel Trail überqueren und auf dem North Kaibab Trail zum Nordrand hinaufsteigen. Als zweite Möglichkeit begibt man sich zum Flughafen, einen oder zwei Kilometer südlich vom Grand Canyon Village, und fliegt von dort mit dem Hubschrauber zum Nordrand. Oder, drittens, wenn man den eigenen Wagen zum Nordrand mitnehmen will, fährt man nach Osten am Canyon entlang nach Desert View, von dort weiter östlich auf dem Arizona Highway 64 nach Cameron im Navajo Reservat, auf dem US Highway 89 and Alternate US 89 nach Norden und über die Navajo Bridge auf die andere Seite des Colorado, dann nach Westen auf dem Alt US 89 nach Jakob Lake im Kaibab National Forest und schließlich nach Süden auf der Arizona Route 67 bis Bright Angel Point am Nordrand. Vor 1975 hatte die Navajo Bridge nichts mit dem

Grand Canyon zu tun, außer dieser Highway-Verbindung von einer Canyon-Seite zur anderen. Dort wo sie den Colorado überquert, befand sich das Marble Canyon National Monument und nicht der Grand Canyon National Park. Heute gehört Marble Canyon zum Nationalpark und die Navajo Bridge ist ein bedeutendes Wahrzeichen des Ostteils. Der Colorado grub den Marble Canyon in den Kaibab Kalkstein der Marble Platform und in die darunterliegende Toroweap Formation. Da beide Gesteinsschichten hart und dicht sind, entstanden aus der "Arbeit" des Colorado die annähernd vertikalen Wände des Marble Canyon, sodass die beiden Canyon-Ränder nicht sehr viel weiter auseinander liegen, als der Fluss breit ist. Die Navajo Brücke überspannt den Fluss mit einem Stahlbogen von nur 188 m Länge, ruht aber immerhin 143 m über der Wasserfläche.
Etwa 5 km flussaufwärts von der Navajo Bridge, an der Nordseite des Flusses, liegt Lees Ferry, wo die meisten Bootsfahrten auf dem Colorado beginnen.

DER NORDRAND

Das Nordufer des Grand Canyon gehört zu einem geographischen Areal, das sich Arizona Strip nennt, jener Teil des nordwestlichen Arizona, der im Westen von der Grenze Nevadas, im Norden von der Grenze Utahs, im Osten von dem nach Süden durch den Marble Canyon fließenden Colorado und im Süden vom Grand Canyon eingefasst wird. Abgesehen von einem kleinen Abschnitt der Straße Interstate 15 in der äußersten Nordwestecke, gibt es nur zwei befestigte Straßen in dieser abgelegenen Gegend. Das geringe Wasseraufkommen wird von den Nebenflüssen des Colorados und natürlich vom Colorado selbst aufgefangen.

Mit 2.500 m über dem Meer ist der Nordrand des Canyons etwa 370 m höher als der Südrand. Das gewaltige Hochland des Colorado Plateaus ist so geformt, dass es im Norden zum Canyon hin abfällt und am Südrand vom Canyon weg abfällt. Diese Unterschiede in der Höhe und im Wasserabfluss bewirken die Verschiedenartigkeit des Nordrandes,

sodass er für die meisten Leute, die den Gand Canyon kennen, eine ganz andere Welt zu sein scheint.

Die größere Höhe verursacht mehr Niederschläge und damit auch mehr Schneefall. Mehr Wasser bedeutet eine stärkere Erosion der Felsen, daher ist der Abfall zum Colorado weniger steil als am Südrand. Der Canyon-Rand liegt deshalb auch weiter weg vom Fluss. Die Nebenflüsse des Nordrandes sind größer als die des Südens, vor allem im Frühjahr, wenn sie das Schmelzwasser von einer bis zu 5 m hohen Schneedecke aufnehmen müssen. Im Lauf der Zeit haben diese Flüsse lange und tiefe Schluchten in das sich über 450 km erstreckende Nordland des Grand Canyon gegraben und es in vier Abschnitte unterteilt. Von diesen vier geographischen Einheiten kennen die Besucher am besten das höchste von ihnen, nämlich das Kaibab Plateau im Osten. Es ist im Osten und im Westen von Erdfaltungen bebgrenzt, die sich bildeten, als das Plateau vor 65 Millionen Jahren aufgeworfen wurde.

Nur das Kaibab Plateau kann über befestigte Straßen erreicht werden. Der Zugang zum Canyon-Rand erfolgt über die Arizona Route 67, nach einer Fahrt von 70 km von der Stadt Jacob Lake bis Bright Angel Point, dem Touristik- und Dienstleistungszentrum. Die Route 67 ist eine Panorama-Straße, der sog. Kaibab Plateau North Rim Parkway. An ihrem Südende haben die Ranger des Nationalparks ihre Stationen, es gibt Informationszentren, Automobil-Service, Campingplätze, ein Geschäft und die Bright Angel Lodge. Verschiedene Wanderpfade beginnen oder enden in Bright Angel Point, der bemerkenswerteste ist der North Kaibab Trail hinunter zum Colorado an der Phantom Ranch und zur Hängebrücke über den Colorado, über die man bis zum Südrand gelangen kann. Die Geologie des Nordrandes entspricht der des Südrandes. Auf beiden Seiten liegt als oberste Schicht der Kaibab Kalkstein und darunter, in derselben Reihenfolge, dieselben Schichten, denn die zwei Hälften gehören zu einem einzigen Stück Erdkruste, das der Colorado auseinandergetrennt hat. Die Geschichte des Nordrandes weist jedoch einige Unterschiede auf. Als erste Ureinwohner wanderten die Paiutes von Norden ein, in derselben Zeit, als die Anasazi den Südrand bevölkerten. Die spanischen Entdecker

drangen niemals ganz bis zum Nordrand vor. Bis zum letzten Viertel des 19. Jahrhunderts beschränkte sich die Anwesenheit europäischer Amerikaner auf einige Missionare der Mormonen. Sie richteten Übersetzmöglichkeiten an beiden Enden des Grand Canyon ein, kümmerten sich aber wenig um das Innere der Schlucht oder deren Randgebiete. In den achtziger Jahren des 19. Jahrhunderts etablierten sich mehrere Viehzuchtgesellschaften im Arizona Strip, die auf dem gesamten Kaibab Plateau ihr Weidevieh aussetzten. Man hat geschätzt, dass zu einer gewissen Zeit mehr als 100.000 Stück Rindvieh und wenigstens 250.000 Schafe auf dem damals üppigen Grasland zwischen den Wäldern ästen. Aber 1906, als das Nationale Wildreservat des Grand Canyon eingerichtet wurde, hatten die meisten Ranchen den Betrieb eingestellt. Einige schoben die Schuld für das Ende der Viehzucht der angeblichen Viehdieberei von James Emmett, dem Unternehmer von Lees Ferry zu. Es erscheint jedoch wahrscheinlicher, dass nach einer zu intensiven Nutzung der Weideflächen die weitere Viehzucht unrentabel geworden war. Als das Wildreservat eingerichtet wurde, machte man James T. Owens zum Aufseher. "Onkel Jimmy" verwandelte zwölf Jahre lang die Puma-Jagd in ein

Geschäft. Sein Firmenzeichen enthielt die Inschrift "Löwenjagd auf Bestellung - Vernünftige Preise". Man nimmt an, dass er mindestens 600 Berglöwen fing oder tötete, bevor er den Ranchbetrieb mit Bisons begann. Die Bisons wanderten in den Canyon, zu dem das ganze Jahr benutzbaren Weidegrund des unteren House Rock Valley. 1926 wurden sie an den Staat Arizona verkauft. Owens lebte bis 1936 und verbrachte die Sommer der letzten Jahre oben am Rand mit seinem halbgezähmten Wildesel Brighty. Die Winter überlebte er in House Rock Valley, während Brighty sich unter den Canyon-Rand zurückzog, um dem Schnee zu entkommen. Im Sonnenzimmer von Grand Canyon Lodge steht eine Bronzestatue von Brighty, und immer noch streifen die Bisons in House Rock Valley umher. W.W. Wylie richtete 1917 erste Anlagen für die Touristen-Versorgung am Nordrand ein, eigentlich eine Ansammlung von Zelten. Dazu gab es einen Koch, der die Mahlzeiten bereitete. Die Utah Parks Company, eine Tochtergesellschaft der Union Pacific Railroad, erhielt 1923 die Konzession für den Nordrand. 1928 baute sie eine elegante Lodge aus Stein und Holz direkt am Canyon-Rand. Der Entwurf sah vor, dass sie zu dem Sandstein-Kliff passen sollte, auf dem sie sich erhob. Tatsächlich ist sie vom Südufer aus kaum zu erkennen.

Die Lodge wurde 1932 von einem Feuer zerstört, aber 1936 in demselben, unaufdringlichen Stil neu aufgebaut, so wie wir sie noch heute sehen. Rustikale Hütten wurden hinzugefügt, um den Wohnbereich am Nordrand zu vervollständigen. Nach der Einrichtung des Nationalparks (1919) dauerte es nur noch wenige Jahre, bis der North Kaibab Trail durch den Bright Angel Canyon vervollständigt war. Am unteren Ende des Pfades wurden dort, wo heute die Phantom Ranch steht, noch weitere Gebäude für den touristischen Betrieb gebaut. Von dort aus konnte man den Colorado mit Hilfe einer Stahlseilkonstruktion, die Hängebrücke genannt wurde, überqueren, sodass für Wanderer und mit Maultieren Exkursionen bis zum Südrand möglich wurden. Ausflüge von einem Canyon-Rand zum anderen gehörten aber erst zur Tagesordnung, nachdem 1928 die heutige Hängebrücke entstand. So verschieden auch der nördliche Rand vom Südrand ist, so wenig kann man die beiden Seiten unterscheiden, wenn man sich erst einmal innerhalb des Canyons befindet. Obwohl der Nordabhang insgesamt weniger steil ist, gibt es auch dort senkrechte Kliffs aus Kalk- und Sandstein und das gleiche Panorama mit fantastischen Felsformationen, wie sie für den gesamten Grand Canyon typisch sind.

Bright Angel Pt.

Colorado River

BRIGHT ANGEL POINT

(Höhe: 2.482 m)

Bright Angel Point ist ein langer Vorsprung, der sich vom Kaibab Plateau nach Südosten erstreckt, eingerahmt von zwei Zuflüssen des Bright Angel Creek, die Roaring Springs und The Transept heißen. Wenn man hinaus zu dem Aussichtspunkt geht, bemerkt man einen Unterschied in der Bewaldung. Da das Wasser am Canyonrand etwas schneller abfließt und warme Luftströme vom Canyon emporsteigen, wachsen hier Pinyon Kiefer und Wacholder besser als die sonst dominierende Gelbkiefer. Roaring Springs versorgte schon viele Jahre lang den gesamten Nordrand mit Trinkwasser, als nach dem Bau einer Wasserleitung (1966) auch der Südrand hinzukam. Das "röhrende" Geräusch des Baches dient als Orientierungshilfe, um zum Canyon-Rand zu gelangen. Jenseits vom Bright Angel Creek sieht man drei charakteristische Erosionsgebilde. Von links nach rechts: Deva-Tempel, Brahma-Tempel und Zoroaster-Tempel. Am Horizont hinter dem Deva-Tempel erkennt man die schneebedeckten Gipfel der San Francisco Mountains. Die Südseite des Canyon ähnelt, von hier aus gesehen, einer senkrechten Wand.

Von Bright Angel Point aus hat man einen außergewöhnlichen Blick auf den ungeheuer langen, schmalen und tiefen Bright Angel Canyon. Er bildete sich in dieser Form heraus, weil hier die Erdkruste durch Expansion auseinanderbarst und mit dem Bright Angel Fault eine Verwerfungslinie bildete, die dann der Bright Angel Creek immer tiefer aushöhlte. Auch in dieser Schlucht liegt der Fels deshalb bis zu dem zwei Billionen Jahre alte Präkambrium-Gestein frei. Wenn man an diesem verwunderlichen Canyon nach rechts entlanggeht, so sieht man sofort, dass der sanfte Tonschiefer-Abhang der Tonto Platform auf den vertikalen Felswänden von Tapeats Sandstein lagert, der seinerseits auf der dunklen Masse von Wischnu-Schiefer aufruht. Zwischen diesen Schichten erkannte Major Powell die berühmte "Great Unconformity", jenen bereits erwähnten Zeitsprung von 500 Millionen Jahren in der Erdgeschichte. Wenn man den Ausfluss des Bright Angel Canyon bis zum Colorado weiterverfolgt, so sieht man die Phantom Ranch. Jenseits des Flusses erkennt man einen Einschnitt in den Südabhang, dort wo der Garden Creek von den Indian Gardens herunterfließt. Darüber, am Canyon-Rand, erkennt man das Grand Canyon Village.

NORTH RIM FOREST

An der höchsten Stelle ähnelt der Forst des Nordrandes den arktischen Wäldern Kanadas. Die häufigsten Bäume sind Rottannen, Föhren und Espen. Dazwischen gibt es zahlreiche baumlose Wiesen mit dichtem Grasmantel. Diese Vegetationsform und ihr Ökosystem sind ein Überbleibsel früherer Zeiten, als die großen Gletscher im Norden ein insgesamt kühleres und feuchteres Klima bewirkten. Auf dieser geographischen Breite könnte solch ein Wald allerdings nicht ohne die durch die Höhe des Kaibab Plateaus und durch die drei bis vier Meter hohe Schneedecke verursachte Kälte überleben.

Etwas tiefer, aber immer noch oberhalb vom Canyon-Rand, herrscht die Gelbkiefer vor. Nahe am Rand, wo der Boden stärker entwässert ist und warme Aufwinde aus dem Canyon blasen, besteht der Bewuchs aus Pinyon Kiefern und Wacholder und sporadischen Gambel-Eichen.

Ein jeder dieser Waldtypen hat das ihm eigene Unterholz mit Büschen und Kräutern. Darin leben natürlich auch die zugehörigen Tiergruppen. Das einzigartige Kaibab-Eichhörnchen gibt es nur hier, zwischen den Gelbkiefern des Kaibab Plateaus. Der Maultierhirsch frisst Sprösslinge von Kräutern und Büschen, er äste nicht auf den einst üppigen, subalpinen Wiesen. Nachdem intensive Viehzucht den ursprünglichen Bewuchs der Wiesen zerstört hatte, bildete sich dort eine Grasdecke heran, die den Maultierhirschen besser gefiel, sodass sie sich am gesamten Canyon-Rand ausbreiteten. Ein weiterer menschlicher Eingriff, die Vernichtung aller Raubtiere, verursachte ein Überhandnehmen der Hirsche, nachdem die Haustiere alles abgegrast hatten. Eine große Anzahl von ihnen verhungerte, ehe der Mensch merkte, dass Berglöwen, Wölfe, Adler, Koyoten und Rotluchse zu einem gesunden Ökosystem dazugehören. Alle Raubtiere außer dem Wolf sind inzwischen wieder zu ausgewogenen Beständen angewachsen und damit auch der Maultierhirsch. Die Wiesen, auf denen man Koyoten beobachten kann, während sie Mäuse fangen und an deren Rändern auch wilde Truthähne auftauchen, enstehen dadurch, dass das Grundwasser im darunterliegenden Kalkstein stärker absinkt. Nach Gewittergüssen und während der Schmelzperiode verwandeln sich die Wiesen in seichte Teiche, bis das Wasser dann durch den Kalkstein versickert, um weiter unten im Canyon als Quellwasser aufzutauchen.

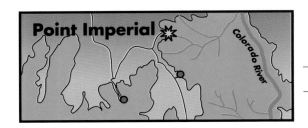

Point Imperial

POINT IMPERIAL

(Höhe: 2.683 m)

Point Imperial ist der am weitesten im Osten gelegene Aussichtspunkt des Canyon-Randes. Von hier aus kann man nach Osten den Teil des Coloradotales überschauen, wo der Fluss noch, nach Süden gerichtet, sein ursprüngliches Bett am Rand des Colorado Plateaus verfolgt; hier hat er sich noch nicht nach Westen gewandt, um das durch Verwerfung emporgestülpte Land zu durchbrechen. Dies ist der höhere Teil des East Kaibab Monokline, der Aufbruch in der Erdkruste, der das Kaibab Plateau hervorbrachte. Point Imperial liegt etwa 900 m höher als die Marble Platform, die das östliche Flussufer bildet.

Man sieht zwar nicht den Fluss selbst, aber die an dieser Stelle besonders steile Canyon-Wand über ihm, die sich Desert Facade (Wüsten-Fassade) nennt. An ihr sind die verschiedenen Schichten von Sedimentgestein besonders gut ablesbar. Die oberste Schicht aus Kaibab Limestone liegt im gesamten Areal an der Oberfläche. Darunter folgen die Toroweap Formation, Coconino Sandstein, Hermit Shale (Tonschiefer) und

Supai Group. Nicht zu sehen ist das Bett aus Redwall Kalkstein, in dem der Colorado fließt. Ganz weit weg zur Linken erhascht man einen Schimmer vom Marble Canyon in der Nähe von Lees Ferry. Im Hintergrund rechts liegt der Canyon des Little Colorado, eingeschnitten in den Landstrich, der sich Painted Desert nennt und zu dem Navajo Reservat gehört. Im Vordergrund etwas weiter rechts erhebt sich der Mount Hayden, ein Gipfel aus weißem Coconino Sandstein, der auf rotem Hermit Shale steht.

Wegen seiner Höhenlage und Öffnung nach Osten wächst auf dem Point Imperial ein Übergangsforst aus Engleman-Tanne, Weißtanne, Douglasie und Gelbkiefer, der sich bis zum Canyon-Rand ausdehnt, ohne das Hinzutreten von Pinyon Kiefer und Wacholder. Dieser Mischwald aus Gelbkiefern und Tannen bietet verschiedenen Vogelarten und Säugetieren Schutz, wie z.B. zwei Arten von Eichelhähern, verschiedenen Spechten, drei Sorten Backenhörnchen, zwei Arten Eichhörnchen und einer Stachelschweinart. Für die meisten Reptilien ist es hier zu kalt.

WALHALLA PLATEAU

(Höhe: 2.436 m)

Das Walhalla Plateau ist eine Halbinsel des Kaibab Plateaus und erstreckt sich südlich zum Colorado hin. Es liegt 37 km von Bright Angel Lodge an einer der eindrucksvollsten Straßen des Nationalparks. Das Plateau ist etwa 24 km lang und von einem ausgewachsenen Forst von Gelbkiefern bedeckt. Die Südspitze heißt Cape Royal und liegt 8 km vom Fluss entfernt. Dort wo das Walhalla Plateau auf das Kaibab Plateau trifft, ist es nur 2 km breit, daher sagt man scherzenderweise, dass jemand,

der vom Walhalla Plateau wegfährt, dies innerhalb der nächsten Million Jahre tun sollte, denn durch die Erosion des Bright Angel Creek wird die Halbinsel zu einer unerreichbaren Insel werden. Bis dahin bleibt uns jedoch eine erholsame Fahrt durch die Waldungen erhalten und eine Atempause von der nahezu erdrückenden Gewalt des Grand Canyon. Der Gelbkiefernwald ist das einzig mögliche Habitat für das Kaibab Eichhörnchen, das man längs des Weges bis Cape Royal beobachten kann. Es ist leicht an seinem weißen Schwanz zu erkennen, wenn es umherhuscht oder an den winzigen Samen der Gelbkiefer knabbert. Im Kiefernwald gibt es wenig Unterholz, denn der Boden ist stellenweise fußtief mit Kiefernadeln bedeckt.

Ein ausgewachsener Wald wie dieser kann sich nur schwer verjüngen, es sei denn durch kleine Windbrüche oder dergleichen, damit die Sonne die jungen Pflanzen erreichen kann.
Auch Feuer, das man normalerweise als tödlich für den Wald ansieht, wird zum wichtigen Regenerationsfaktor, allerdings nur in der Form von kleinen Bränden, die beispielsweise durch Blitzschlag verursacht werden. Dabei verbrennen der Nadelteppich, trockenes Astwerk und das Unterholz, während die dicke Borke die erwachsenen Bäume schützt. An solch einer aufgehellten Stelle finden die Samen einen nährstoffreichen Boden und das für ihr späteres Wachstum notwendige Sonnenlicht.

ANASAZI RUINS

Die vorgeschichtlichen Bewohner, die das Canyon-Gebiet besiedelten, wurden schon mehrfach in diesem Führer erwähnt. Viele Ortsnamen des Nationalparks erinnern an sie und ihre Nachfahren. Hier folgt eine kurze Zusammenfassung der archäologischen Erkenntnisse und Vermutungen zu diesen Ureinwohnern.

Zunächst traten etwa 2000 Jahre v.Chr. die sog. "Zweigspalter" auf, die Weidenzweige aufspalteten und verflochten, um Tiere darzustellen. Sie hinterließen diese Figuren in Kalksteinhöhlen der Schluchtwände. Da man sonst keine Spuren von ihnen gefunden hat und einige Tierfiguren speerartig von anderen Zweigen durchbohrt sind, nimmt man an, dass es sich um Opfergaben handelt. Spätere Einwohner bauten Grubenhäuser und flochten Körbe. Man weiß aber so wenig über sie, dass die Archäologen sie schlicht die „Korbflechter" nennen.

Die Nachfolger von ihnen wanderten etwa im Jahre 600 oder 700 n.Chr. ein. Man hat sie Anasazi genannt, das ist ein Navajowort und bedeutet "Die Alten", aber die Wissenschaftler bezeichnen sie normalerweise als Pueblo-Indianer, denn sie lebten in kleinen Dorfgemeinschaften. Die Pueblo-Indianer waren immer noch Jäger und Sammler, denn sie erfanden den Wurfspeer und Pfeil und Bogen, aber sie betrieben bereits den Pflanzenanbau und stellten für die Aufbewahrung des Getreides Tonwaren her.

Auf einigen Lichtungen inmitten des Gelbkiefernwaldes von Walhalla Plateau trifft man auf Reste dieser Anasazi. Es sind mehr als hundert "Farmhäuser" identifiziert worden, bei denen Mais, Bohnen und Kürbisse angebaut wurden. Im Allgemeinen fand man den Grundriss eines kleinen, nur aus einem Raume bestehenden Gebäudes, das die Archäologen "Feldhaus" genannt haben. Vielleicht diente es einem einzelnen "Bauern" und seiner Familie als Wohnung.

Walhalla Glades ist eine größere archäologische Ausgrabung, mit wenigstens neun Räumen, die vielleicht als Lagerräume und als Wohnung für mehr als zwanzig Leute dienten. Die steinernen

Mauerfragmente entstanden vor mindestens 900 Jahren. Als man hier grub, fand man zwischen den Mauerresten genügend Steintrümmer, um darauf schließen zu können, dass die Mauern in ihrer ursprünglichen Höhe ganz und gar aus ausgehauenen Kalksteinen errichtet wurden. Als Mörtel verwandte man Ziegelton. Zwischen den Mauerstümpfen stieß man auch auf Balkenfragmente und Scherben von Luftziegeln, also offenbar Dachreste. Da keine Hauseingänge ausfindig gemacht werden konnten, ist vermutet worden, dass die Bewohner durch Öffnungen im Dach mittels an der Außenwand angelehnten Leitern ins Innere krochen.

Weiterhin nimmt man an, dass die Pueblo-Indianer das Walhalla Plateau nur im Sommer bewohnten. Wenn kühles Wetter die Wachstumsperiode beendete, sammelten die Indianer ihre Erntevorräte zusammen und zogen hinunter in den warmen Canyon, vermutlich zu dem großen Pueblo an der Mündung des Unkar Creek. Es gibt Hinweise darauf,

dass in der ersten Zeit die Bevölkerung der Unkar-Siedlung so stark zunahm, dass das Land im Inneren des Canyons nicht mehr ausreichte. Daraufhin begann die Bebauung mit Sommerkulturen oben am Canyon-Rand. Walhalla Glades ist ein Zeuge dieser Entwicklung.

Etwa 600 Jahre lang fristeten die Anasazi, "Die Alten" und die Pueblo-Indianer ihr Leben als Ackerbauer in und um den Canyon. Bisher sind wenigstens 2.500 Gebäudereste entdeckt worden. Diese Reste reichen von einzelnen, kleinen Strukturen, die gegen Raubtiere und Unwetter Schutz bieten sollten, bis zu komplizierten Gebäudegruppen wie die Unkar-Ruinen oder Walhalla Glades. Doch um 1250 n.Chr. zogen die Ureinwohner fort, waren vielleicht wegen einer Reihe von besonders trockenen Jahren dazu gezwungen, eine verlässlichere Wasserversorgung ausfindig zu machen. Wie die Archäologen behaupten, nennen sie sich heute Hopi-Indianer und leben im Herzen von Neu Mexiko.

CAPE ROYAL

(Höhe: 2.398 m)

Am Ende der Straße liegt Cape Royal, ein Vorgebirge, das sich in den Canyon erstreckt und einen 180 Grad weiten Ausblick bietet. Von den Park- und Rastplätzen führt ein etwa 1 km langer Naturpfad zu verschiedenen Beobachtungspunkten am Canyon-Rand. Man bemerkt längs des Weges sofort, dass sich der Bewuchs geändert hat. An Stelle der Gelbkiefern gedeiht hier ein Niederwald aus Pinyon Kiefern und Wacholder. Das liegt wieder an dem in Canyon-Nähe stärker ausgetrockneten Erdreich und an den warmen Aufwinden. Auch diese Waldform ist hier vollständig ausgewachsen, mit reichhaltigem Unterholz aus Bergmahagoni, Felsenbirne, Brombeere, Kliffrose und Büffelbeere (*Shepherdia canadensis*). In begrenztem Umfang stößt man auch auf Salbeisträucher, Feigendiestel und Palmlilien. Von dem östlichsten Ausblick sieht man das Mäander des Colorado um die Felsblöcke herumströmen, die der Unkar Creek, die Unkar-Stromschnellen bildend, in den Fluss gestürzt hat. An der kiesigen Bacheinmündung liegt eine der spätesten Siedlungen der Anasazi-Indianer innerhalb des Grand Canyon, man nimmt an, dass sie um 1125 n.Chr. aufgegeben wurde. Wenn wir unsere Augen senkrecht vom Fluss emporwandern lassen, erkennen wir den Aussichtsturm von Desert View.

Im Vordergrund in annähernd südlicher Richtung erhebt sich die eindringliche Formation mit dem Namen Wischnu Tempel und gleich darüber erkennt man in der Ferne die San Francisco Mountains. Der Blick von Cape Royal nach Westen eröffnet uns den bekanntesten Abschnitt des Grand Canyon. Man sieht viele Aussichtspunkte und Formationen des Südrandes, aber auch mehrere der bizarren Gebilde der Nordseite. Die drei tempelartigen Formationen, die von Bright Angel Point so besonders eindrucksvoll wirken, Deva-, Brahma- und Zoroastertempel, bieten sich hier von einer anderen Seite dar. Besonders auffallend ist die Tonto Platform (Tonto Plateau), und man erkennt sehr gut, dass der nördliche Abhang einen wesentlich sanfteren Verlauf hat als der südliche.

TOROWEAP OVERLOOK

(Höhe: 1,377 m)

Im westlichen Teil des Nordrandes, den man ausgehend von Fredonia, Arizona über eine Schotterstraße von 107 km erreicht, trifft man auf Toroweap Point. Dieser Ort liegt wesentlich tiefer als der übrige Nordrand und gehört im strengen Sinne auch nicht zum Canyon-Rand. Was man sonst als "Rim" bezeichnet, heißt hier "äußerer Rand", denn er liegt etwa 8 km weiter nördlich, jenseits einer Hochebene, die sich Esplanade nennt. Toroweap befindet sich oberhalb einer steilwandigen Schlucht, die fast vertikal 1000 m zum Fluss abstürzt.

Ebenfalls hier, am Rand der Esplanade, wo Toroweap Valley einmündet, erhebt sich ein Schlackenkegel von 1,2 km Durchmesser und 175 m Höhe, der sich Vulkans Thron nennt.

Ein Aussichtspunkt gleich jenseits der Westseite des Campingplatzes verwöhnt uns mit einem der spektakulärsten Anblicke des gesamten Canyon. Vor etwa einer Million Jahren strömte glühende Lava über den Rand der Esplanade hinunter in den Colorado und versperrte den Fluss. Das geschah mehrere Male und immer wieder durchbrach das Wasser den Basaltdamm und wusch das Flussbett frei. Was von diesen Lavaströmen übrigblieb, sind die erstarrten Lavakaskaden an der Nordwand des Canyon, einige wenige Lavanester, die an der Südwand kleben und Lava Falls, die größten und gefährlichsten Stromschnellen des gesamten Grand Canyon.

Die Vulkanfelsen erregten, nach so langer Fahrt zwischen Sedimentgestein, sofort die Aufmerksamkeit von John Wesley Powell und seiner Mannschaft. Wir zitieren aus dem Tagebuch des Majors:

"Was muss das für ein Zusammenprall von Wasser und Feuer gewesen sein! Man stelle sich vor, ein Fluss von geschmolzenen Felsen, der sich in einen Fluss mit Schmelzwasser ergießt. Welch ein Sieden und Kochen des Wassers, was für Dampfwolken, die sich himmelwärts türmen!"

Das Südufer des Colorado und das Land des Südrandes erstrecken sich von diesem Punkt an jenseits der Westgrenze des Grand Canyon National Park und gehören zum Hualapai Reservat, das von dem Hualapai-Stamm verwaltet wird.

The altitudes are shown in feet (1 foot = 30.48 cm).

INHALT